59010864

31 04 0005

SP
Fic
Mayoral,
Marina

MARINA MAYORAL

Bajo el magnolio

punto de lectura

East Baton Rouge Parish Library
Baton Rouge, Louisiana

Título: Bajo el magnolio
© 2004, Marina Mayoral
© Santillana Ediciones Generales, S.L.
© De esta edición: febrero 2005, Suma de Letras, S.L.
Juan Bravo, 38. 28006 Madrid (España) www.puntodelectura.com

ISBN: 84-663-1490-3
Depósito legal: B-4.633-2005
Impreso en España – Printed in Spain

Diseño de cubierta: Sdl
Imagen de cubierta: © Andrés Amorós Mayoral
Diseño de colección: Suma de Letras

Impreso por Litografía Rosés, S.A.

Todos los derechos reservados. Esta publicación
no puede ser reproducida, ni en todo ni en parte,
ni registrada en o transmitida por, un sistema de
recuperación de información, en ninguna forma ni
por ningún medio, sea mecánico, fotoquímico, elec-
trónico, magnético, electroóptico, por fotocopia, o
cualquier otro, sin el permiso previo por escrito de
la editorial.

091 / 05

MARINA MAYORAL

Bajo el magnolio

*A mis lectores de ayer, de hoy y de mañana.
Por su compañía a lo largo de los años
y por la esperanza de seguir viviendo
en su recuerdo.*

«Allí donde el sepulcro que se cierra
abre una eternidad,
todo lo que los dos hemos callado
lo tenemos que hablar.»

BÉCQUER, rima XXXVII

«Si alguna vez la vida te maltrata,
acuérdate de mí,
que no puede cansarse de esperar
aquel que no se cansa de mirarte.»

LUIS GARCÍA MONTERO,
Habitaciones separadas

1

Estaba seguro de que tarde o temprano vendría a hablar conmigo. No sé bien por qué, pero estaba seguro. Quizá por eso del punto de vista que usted cuenta siempre...

Soy un palurdo, pero leo y me entero de lo que dice la gente que sale en los periódicos. Muchas cosas serán mentira, sobre todo lo de los políticos, pero usted no gana nada con decir eso, así que supongo que es verdad, que quiere conocer la otra parte, la otra versión. Aunque también puede ser que lo diga por quedar bien. Es bonito lo de ponerse en la postura de los otros. No sé si eso se lo aplica a su vida; todos somos muy imparciales con las historias de los demás, pero cuando nos toca a nosotros no vemos más que nuestra razón, nuestra verdad. Y nos parece que los otros están equivocados, o mienten. Pero el caso es que no me sorprende verla aquí; sólo que haya tardado tantos años. Si espera un poco más, tendríamos que hablar en la otra vida.

No, no estoy molesto ni resentido. Ni con usted ni con Laura por lo que le contó. Lo que pasa es que en muchas cosas no estoy de acuerdo. No sé si Laura se lo contó tal cual o si usted lo escribió a su manera. En todo caso, reconozca que lo normal es dejar hablar a los dos y, si me apura, hasta a los tres, porque también su marido tendría algo que decir. A mí me deja como un resentido y un ambicioso, que se va apoderando de todo lo que era el patrimonio de Laura, pero el marido queda aún peor, como un imbécil y un egoísta. Y digo yo que algo bueno tendría, aparte de ser guapo, para que ella siguiera con él cuando ya estaba hecho una ruina.

No se me justifique, que no hace falta... Será una novela, pero usted ha contado la vida de personas de carne y hueso y ha hablado de este Pazo y de estas tierras, así que no sé yo qué clase de novela es ésa*. Y en cuanto a dejar hablar sólo a Laura, pues está bien claro: a usted le interesaba ella, y no hay más explicaciones. Las mujeres se entienden entre sí, y cuando se ponen de palique

* Se refiere a *Unha árbore, un adeus*, Galaxia, Vigo, 1988.
(*Un árbol, un adiós*, Punto de Lectura, 2004)

no hay quien las pare. Ahora, por curiosidad o por lo que sea, quiere hablar conmigo. Pues muy bien. Si yo no quisiera, con callarme estaba del otro lado. Pero no me voy a callar, soy ya demasiado viejo para callarme. Le voy a decir lo que pienso de todo esto. No creo que hubiera mala fe por su parte, desde luego, pero pienso que algunas cosas las debió de entender mal, o Laura se las contó a su manera, o quizá, si es una novela, se las ha inventado usted a su gusto; no sé. Las personas somos difíciles de entender y tampoco es cierto eso de que hablando se entiende la gente. Hablando se dicen a veces palabras de las que después uno se arrepiente, porque se dicen en un momento de arrebato o de malhumor, y la verdad es otra cosa, que a veces no se dice nunca.

Para empezar por lo más fácil: usted le da mucha importancia a que Laura era «la señorita», la nieta de los señores del Pazo y a que yo era el hijo del guarda. Y sí, eso era así, pero, cuando Laura y yo íbamos juntos a la escuela de su padre, los abuelos ya no vivían, el Pazo era una ruina y en aquella casa no entraba más dinero que el sueldo de don Marcial, un sueldo de maestro, ya se imagina para lo que daba, ni para tapar goteras, y eso gracias a que la gente, agradecida, no le cobraba más que el material de las reparaciones. Y que nunca le faltaba una liebre o unas truchas de regalo, porque todo el mundo lo quería y todos le debían favores.

La forma de vivir estaba cambiando y lo que la gente admiraba y lo que deseaba era un coche, o un piso en la capital, no el caserón arruinado del Pazo. A don Marcial le tenían respeto y cariño, se lo había ganado por como era, pero nadie quería ser maestro, ¿comprende?, ni nadie se acordaba de los abuelos de Laura.

A mí sí me gustaba el Pazo, me gustó siempre, porque a mí me gustan las casas bonitas y el Pazo, ya lo ve, es una preciosidad. Y ahora a la gente le gusta, porque el mundo da muchas vueltas, y resulta que vuelven a la tierra y lo que está de moda es tener una casa en la aldea; no en cualquier aldea, en la aldea de uno, y decir que aquélla es la casa de la familia. Y muchas veces no hay tal casa de familia. La mayoría tenía un corral, o un cobertizo para las gallinas, o nada, los padres o los abuelos vivían por dos reales en un sitio miserable. Pero a los hijos o a los nietos les gusta comprar una tierra o una casa o hacerse una nueva, ya sabe: baños, una cocina moderna. Yo he hecho cientos de esas casas, y conozco bien a esa gente. No sólo se hacen la casa, se hacen su propia historia, cómo le explicaría, parece que quisieran enmendarle la plana a la vida pasada, a la pobreza de los suyos. Y no está mal, a mí no me parece mal. Si tienen dinero se compran un apartamento en la playa, pero primero es la casa del pueblo, arreglar las cuentas con el pasado, ¿me entiende?

Lo mío por el Pazo no tiene nada que ver con eso. A mí el Pazo me gusta por bonito, no porque sea una mansión señorial. Eso lo tiene que entender. Y también que pagué por él más de lo que ofrecían los otros, que pretendieron comprarlo abusando de que Laura tenía agujeros en las manos, y del poco pesquis de don Marcial para los negocios. No fue una estafa. Lo compré al precio al que se vendían estas casonas cuando a la gente no le interesaban.

Tengo ocho hijos y más de veinte nietos. Y me gusta que estén a mi alrededor y que haya sitio para juntarnos cuando nos plazca. El Pazo tiene todo lo que yo necesito: muchas habitaciones, jardín, huerta y la mejor situación del pueblo, con las mejores vistas. Y está bien hecho. Yo no sabría hacer una casa mejor ni más bonita. La única reforma fue darle las comodidades modernas sin estropearlo, respetando la estructura y su aspecto de siempre.

En estos últimos años han pretendido comprármelo varias veces; he tenido muchas ofertas, de mucho dinero. Pero yo tengo ya el dinero que quiero tener, no necesito más. Vivo en el Pazo y vivo a gusto. Y no lo voy a vender nunca. Lo único que me fastidia es que haya sido de Laura, ya ve, porque sé que a ella al final le hubiera gustado tenerlo, y ahora también les gustaría a sus hijos. Pero vivieron muchos años, ella y su marido y los hijos, del dinero que yo le di a don Marcial por el Pazo. Y todo tiene un precio en la vida.

Eso no se lo contó, pero fue así. Lo pagué más que nadie y le dije a don Marcial delante de testigos que mientras él viviese todo seguiría igual. El que no es agradecido no es bien nacido, y si no fuese por don Marcial yo no sabría más que leer y escribir, y sabe Dios qué habría sido de mi vida. Así que le dije que allí viviría él hasta que quisiera, y cualquiera de su familia mientras él viviese, y también la Nana, que era la criada de toda la vida, la tata que crió a Laura...

No, no vinieron nunca. ¡Pobre don Marcial! Ni por las Navidades aparecían. Allá se iba él a pasar la Nochebuena a Madrid, porque Laura y su marido, decía justificándolos, no podían venir, tenían tanto trabajo. Y a veces ni siquiera se quedaba para fin de año. Ellos tenían fiestas, vivían de otra forma, decía, se iban de vacaciones al Caribe, porque necesitaban tomar el sol en invierno. Ya ve. Y el dinero salía de la venta del Pazo. Y, si en vez de comprarlo yo, lo compra otro, don Marcial acaba sus días en el asilo, como acabó Nana en cuanto él murió.

Todo tiene un precio en la vida. Laura escogió marcharse. Si le tirase de verdad esto, no dejaría que su padre pagase con el Pazo los caprichos de todos ellos. En el fondo no le gustaba tanto como decía. Y al marido le gustaba menos aún. Y los hijos prácticamente no lo conocen. Así que no sé yo a santo de qué vino aquella tontería de plantar un magnolio cuando cumplió los cincuenta. Y pedirme a mí que lo cuidara. El Pazo era ya mío, y ella lo sabía, aunque hablase de él como si aún fuese suyo. Y también sabía que, aunque ella hubiera tenido el dinero para volver a comprármelo, yo no lo hubiera vendido. Mientras su padre estuvo vivo, yo no hice nada en el Pazo. Arreglar lo indispensable para que no se derrumbara y para que pudiera vivir dignamente: ponerles cristales a las ventanas o tapar las goteras más grandes. Pero cuando él murió era ya otro asunto. No sé a qué vino Laura. A vender los muebles, a meter a Nana en el asilo y ¡a plantar un magnolio! Y a encargarme a mí que lo cuidara. ¡Hay que joderse!... Disculpe, pero hay cosas de Laura que nunca conseguí entender...

No. No lo arranqué. Allí está. En el roquedal de allá arriba. Era el peor sitio de la finca. Se empeñó en ponerlo allí, porque «cuando crezca

17

—dijo—, se recortará contra el cielo y será una hermosura»...

¡Claro que es una hermosura! Porque yo lo cuidé durante años y años para que no se lo llevase la trampa. Había que protegerlo de las heladas y del *tumbaloureiro*, el viento del norte, que allí arrasa. Primero le hice una cerca de cañas y después construí todo ese tinglado de piedra que está viendo...

No, no son unas ruinas. Son muros de piedra que yo hice para proteger al dichoso magnolio. Laura se limitó a plantarlo y a decirme «Cuídalo, Paco», igual que con el granado...

Sí, el granado que plantamos de niños lo arranqué. Me acuerdo muy bien de cuándo lo hice y por qué... Yo tenía diecisiete años, pero ya me encargaba de todo el trabajo que mi padre no podía hacer. Laura se marchaba a estudiar fuera, se iba a la Universidad. Y yo me quedé aquí. No me gusta arrancar árboles. Don Marcial nos contaba que los franceses plantaron muchos árboles en España cuando vinieron aquí con Napoleón, cuando nos invadieron. La gente del pueblo odiaba a los franceses. Y, cuando consiguieron echarlos de España, arrancaron los árboles que habían plantado. Don Marcial nos decía a los niños que eso estaba mal, que los árboles son algo bueno y que no tienen la culpa de las rencillas de los hombres. El granado ha sido el único árbol que yo he arrancado en mi vida...

No lo hice por venganza. Fue para protegerme. Para no dejarme arrastrar por la manera de pensar de Laura. Plantar aquí un granado era una locura. No se dan. No es el clima ni la tierra adecuados. Y además se lo comían las plagas, una tras otra. Un día lo vi lleno de gusanos, aquel árbol raquítico y solo, y pensé que había que trabajar por las cosas que valen la pena, que no hay que perder el tiempo en quimeras, que es lo que Laura hizo siempre. Y decidí que yo plantaría manzanos y ciruelos, que tendría una hermosa huerta con árboles frutales que me dieran fruta y sombra, y no quebraderos de cabeza. Y lo arranqué antes de que ella volviera y me convenciera de lo hermoso que sería tener allí un granado, y estudiar Arquitectura y hacer catedrales, y puentes y museos y rascacielos... Tenía que protegerme de los sueños, porque yo sabía que no podría ir a la Universidad, que mi sitio estaba aquí, y que aquí tenía que arreglármelas para seguir viviendo y no morirme de pena cuando ella se fuera...

El magnolio no me hizo falta arrancarlo. Entonces era ya un hombre que estaba de vuelta de muchas cosas, y sabía de lo que era capaz, y lo que estaba a mi alcance. Mire usted, ahora, en esta tierra, yo soy capaz de hacer crecer lo que se me antoje. Tengo chirimoyos, y mangos y también un granado, ya ve, al final resulta que hasta un granado. Esta tierra es una bendición y sólo hay que buscarles el sitio adecuado, donde les dé el sol y donde escurra la lluvia.

Laura plantó allá arriba una *Magnolia campbellii*, un lujo de árbol, por no decirle una locura. Procede del Himalaya y allí puede llegar a medir cuarenta y cinco metros. En Europa dicen que no pasa de los dieciocho metros, pero éste los ha sobrepasado. Es un árbol espectacular. Tarda mucho en crecer y en dar flores. Veinticinco años exactamente. Un cuarto de siglo, que es mucho tiempo. La primavera pasada floreció por primera vez. No se puede imaginar qué belleza. Echa antes las flores que las hojas y se cubre todo, los veinte metros, de arriba abajo de flores, de millares de flores rosadas que parecen de cera. Por aquí nunca se había visto nada igual. La gente del pueblo venía a verlo, y hasta autocares de turistas, porque como está en lo alto se ve desde la carretera que va a la costa...

Laura no lo vio. Creo que siempre supo que no lo vería florecer. A veces me pregunto por qué lo hizo...

Con franqueza, no creo que usted lo sepa tampoco. Ya sé: tener un hijo, escribir un libro, plantar un árbol, las cosas importantes de la vida. Ella tenía dos hijos, un libro de cuentos para niños y el árbol era lo que le faltaba. Pero lo podía haber plantado en su casa de Madrid. Tenía un chalé con un jardín; era un jardín pequeño, dice mi hija Maíta, un poco de tierra alrededor de la casa. Pero también hay árboles pequeños, incluso magnolios, que son más propios para jardín y que florecen mucho antes y requieren menos cuidados.

Mire usted, yo he leído mucho sobre los magnolios, me gusta la jardinería y me gusta documentarme, y tenía interés en que este árbol se lograse; así que puedo asegurarle que Laura no quería plantar un árbol, o sea, no quería hacer la tercera cosa importante de la vida, porque eso podía hacerlo en su casa sin molestarse tanto y sin implicarme a mí en ello.

En uno de los libros que leí decía que la *Magnolia campbellii*, el árbol que plantó Laura, es la aristócrata de las magnolias. La aristócrata, ¿se da cuenta? Y Laura vino a plantarlo a una tierra que ya no era suya, pero que había sido de su familia desde siglos atrás. Y me encargó a mí que lo cuidara, porque sabía que si yo no lo cuidaba el árbol no prosperaría. Y dijo: «Se recortará contra el cielo y será una hermosura». Y también me dijo: «Tus hijos y tus nietos disfrutarán de él»...

Han pasado veintisiete años y sigo sin saber si lo hizo por ella, o por mí...

Laura

A mí este árbol no me dará nada: ni fruta, ni sombra, no lo sabes tú bien. Pasarán años hasta que dé una flor, hasta que alguien se pueda sentar bajo él y decir: «Qué bien huele».

Yo no lo veré. Lo disfrutarás tú, lo disfrutarán tus hijos y tus nietos, siempre a tu lado, alrededor de ti como ramos de olivo; la recompensa para el buen hijo que no abandonó a sus padres. Serán los tuyos quienes, en algún atardecer de verano, paseando por estas tierras que fueron de mis abuelos, se darán cuenta de lo bien que huelen las magnolias...

Quiero plantarlo sola, Paco, no te ofendas. Es un gesto simbólico, compréndelo...

Tienes razón, va a quedar torcido. Hacen falta dos, igual que para tener un hijo. Solamente los libros los puede escribir uno solo...

*Prefiero que tú lo sostengas y yo echaré la tierra.
Mantenlo bien derecho que allá voy...*

*Quedó bonito, ¿a que sí?... Ahora me alegro de
haberlo hecho contigo, Paco. Me lo vas a cuidar, eh.
¿Prometido?...*

Adiós, Paco. Cuida del magnolio...

2

Hoy estuve hablando con esa señora que hizo una novela sobre tu vida, Laura.

Sobre tu vida y sobre la mía, porque yo también salgo sin que nadie me haya pedido permiso...

Una novela será para quienes no nos conozcan. Para la gente de aquí y de nuestros años es tal cual nuestra vida... Bueno, en cierto modo, porque yo con muchas cosas no estoy de acuerdo. Si me apuras hasta hubiera podido demandarla, pero es amiga de Maíta y como por aquí no leen muchos, y de los que leen, pocos quedan, pues lo dejé pasar.

Y ahora viene porque se ha dado cuenta de que le falta algo, vaya descubrimiento, le falta todo lo que tú no le contaste. Y quiere que yo le dé mi versión. No acabo de entender para qué. Si lo que quiere escribir no es más que una novela, no sé para qué indaga tanto en nuestras vidas... Me puso el ejemplo de una novelista extranjera que escribió sobre el emperador Adriano. Dijo que se había documentado durante años, que había estudiado minuciosamente la vida y los hechos en los que Adriano participó, pero que al final no había escrito un libro de historia ni una biografía sino una novela. Yo no lo entiendo. Le he pedido a Maíta que me busque ese libro; me ha picado la curiosidad, aunque no creo que me aclare nada. Los que sepan de esa época histórica se darán cuenta de si está inventándose cosas, pero a todos los demás nos parecerá que las está contando tal como fueron...

Tal como fueron... Eso es imposible. Yo le he preguntado a la escritora si lo que tú dices en su novela se lo habías dicho de verdad... Por ejemplo, lo que decías de Fernando. Y ella dice que sí, que se lo habías dicho. Pero ¿cómo podía ella saber lo que tú hablabas con tu padre, o con Nana? Dice que tú le habías hablado de todo eso y que ella se limitó a darle forma, creo que dijo así: darle forma. O sea, que tú le contabas a ella y ella hacía como que tú hablabas con tu padre o con Nana... o conmigo. Yo he de reconocer que al leerlo tuve la impresión de estar oyéndote. Y de volver a vivir algunos episodios de nuestra vida. Pero faltaba algo. Había cosas que yo recordaba de otro modo, no quiero decir que tú mintieses, o que ella cambiara los hechos, pero para mí fueron diferentes, yo los viví de otra forma... Y parece ser que ella lo ha pensado también así y por eso ha venido. Dice que quiere saber mi opinión, mi punto de vista. Y con eso hacer otra novela...

Yo iba a decirle que no tenía nada que añadir. Para qué volver otra vez sobre lo mismo. Pero después lo pensé mejor. A fin de cuentas, qué más me da a mí pensar solo que hablar con ella. Y hablando con ella es posible que aclare algunas cosas que nunca vi claras. Así que estuvimos hablando y le dije que volviera cuando quisiera, y dijo que va a estar por aquí unos días y que, si no me molesta, seguiremos hablando. Y a mí me parece bien.

En cierto modo, es mejor que venir aquí y estar yo solo dándole vueltas a la cabeza una y otra vez, intentando comprender. A lo mejor hablando se me aclaran las ideas. Tu padre decía que hay sentimientos que sólo se viven plenamente cuando se han formulado con palabras. Y es cierto, es muy cierto. Leyendo los libros que me trae Maíta, me doy cuenta de que yo siento o he sentido lo mismo que pone allí, pero lo sentía sin saber que lo estaba sintiendo: me faltaban las palabras para entender lo que me pasaba. Y éstas son las cosas que no le puedes contar a nadie

porque piensan que chocheo: ¡a estas alturas leyendo versos!... ¡Y descubriendo en ellos el sentido de mi vida!...

Por eso vengo aquí, porque tú sigues siendo
la única persona a quien yo se lo puedo contar,
y eso, en cierta manera, es lo que me ha faltado
siempre. Con Isabel... yo qué sé; quizá sí, pero ella
sólo leía novelas y nunca me contaba de lo que
trataban. O quizá con Maíta, que siempre ha sido
la que me ha traído los libros. Pero me da apuro.
Me pregunta si me han gustado y yo le digo que
sí, y ella me dice que me va a traer uno que acaba
de leer y que le ha gustado mucho. Pero nunca
me dice: eso es lo que yo siento. Ni yo tampoco se
lo digo. Creo que un padre está para resolver los
problemas y las dudas de sus hijos, eso es lo natural y no al revés. Y, además, como Maíta hace a veces
preguntas muy embarazosas, prefiero no darle pie.
Prefiero contárselo a una desconocida. O venir
aquí y hablar contigo.

Contigo no me da vergüenza porque tú hablabas de todo, lo divino y lo humano, y te interesaba todo, aunque bien sabías callarte lo que no te
convenía contar, pero, en fin, ésa es otra historia. Lo que te estaba diciendo es que te pones a
leer versos y te das cuenta de que eso es lo que
tú sientes, y al mismo tiempo te das cuenta de
que no es nada raro, nada del otro mundo, que

es algo que le pasa a mucha gente, no a toda, pero a alguna gente que es como tú. Y te sientes mejor, porque eso quiere decir que es algo natural, no es una rareza o una manía. ¿Te acuerdas de las viejas de Salas, que una de ellas estaba medio trastornada y decían que era porque la dejó de joven un novio? Nunca más volvió a salir de casa sino a deshora, a misa del alba y poco más. ¿Y el señor Xaquín? Se sentaba todos los días en lo alto de Rocamoura, desde que amanecía hasta que caía el sol, a esperar que volviera el hijo que se le había ido a América. Pues eso sí que es una enfermedad, una enfermedad de dentro, del alma o del cerebro, que te aparta de las personas normales. Pero tener una pena escondida es normal. Casi todo el mundo la tiene. Es algo que no puedes olvidar, pero que te deja hacer la misma vida de todo el mundo y hasta ser feliz a ratos; algo en el fondo de uno: una sombra, un peso, algo escondido en los pliegues más hondos, que está ahí y que no se va... A mí me parecía una enfermedad, como lo de la vieja de Salas y lo del señor Xaquín; menos grave, porque te deja trabajar y disfrutar de las cosas, aunque no completamente; es como una bruma que te permite ver, pero que lo emborrona todo. Y no, no es una enfermedad, ni una rareza; es algo normal... Lo he leído en un libro de Rosalía de Castro. Es un cantar popular, son palabras de gente del pueblo, de gente como yo:

> Mais ó que ben quixo un día,
> si a querer ten afición,
> sempre lle queda unha mágoa
> dentro do seu corazón.

O sea, que si eres de buena ley, y si de verdad has querido a alguien, eso no se olvida; pasa el tiempo, pero un poso de aquella pena se queda en el corazón y no se va.

Cuando lo leí me acordé de tu padre, de lo que decía de los libros, que te ayudan a entender la vida y encontrarle un sentido a lo que pasa, y también aquello de los sentimientos, que sólo se viven plenamente cuando consigues ponerles palabras, decirlos, aunque sea para uno mismo... ¡Qué gran persona era tu padre! Siempre nos decía que aquello que te estaba contando lo había leído en un libro, lo había dicho tal o cual, un escritor o un santo, o un sabio, siempre otra persona. Pero él lo sabía y te lo decía en el momento oportuno, y a veces yo creo que eran cosas que se le ocurrían a él y que decía así para no presumir, para no darse importancia... ¡Cómo pudiste dejarlo, Laura! ¡Cómo pudiste irte y dejarlo aquí tan solo, haciéndose viejo sin nadie a su lado!... Se lo he dicho a la escritora, que en eso hiciste mal, que no tenías que haberlo abandonado...

Tú también le contaste cosas muy íntimas. Le contaste lo del hórreo. Yo nunca se lo he contado a nadie. Ni a Isabel, por supuesto. Y lo hubiera negado sobre los evangelios si hubiera hecho falta. Era tu honor y yo era tu caballero andante, como tú decías. Se lo contaste como algo muy importante en tu vida, me ha dicho. Pero yo no fui el primero y tú te marchaste para casarte con otro, así que no sé cuál fue la importancia de aquello para ti, ni si es verdad que mejor conmigo que con tu marido y todo lo que me dijiste cuando volviste a plantar este árbol y a revolverme la vida una vez más...

De eso no te molesta hablar, por lo visto, pero no le dijiste que habías abandonado a tu padre. Ésa es la palabra y sólo con esa palabra se entiende lo que hiciste entonces: abandono, abandonar, abandonado... Ésas son las palabras que dan vida a los sentimientos que tú provocaste.

Hiciste mal yéndote. Siempre lo pensé, siempre lo sentí así. Y no te lo dije entonces porque no creyeses que hablaba por mí... En realidad yo también fui culpable. Fui soberbio y egoísta. No quería que te quedases sólo por tu padre, o fundamentalmente por tu padre. Y me callé. Por orgullo. No te lo dije entonces por orgullo. Si querías irte, yo no iba a suplicarte que te quedases. Pero tenía que haber pensado en tu padre, tenía que haberte hecho recapacitar en lo que tú misma reconociste años después, cuando tuviste hijos y ellos empezaron a hacer su vida: que la vida de uno no es sólo la vida de uno; es también la vida de las personas que te quieren y te necesitan, de aquellas hacia las que tienes unos deberes que cumplir.

De todo esto yo me di cuenta antes que tú, cuando tuve que decidir si yo también me iba o me quedaba. Y me quedé, porque sentí que era mi deber hacerlo.

Pero hasta ahora mismo no me he dado cuenta de que yo tenía que haberte dicho entonces que no te fueras. Y no te lo dije por orgullo, porque sólo pensé en mí y no en tu padre. Me he dado cuenta hablando con ella, con la escritora, por eso le dije que, si quería, seguiríamos hablando. Hay muchas cosas que necesito saber, que no me he atrevido a decirme a mí mismo en toda mi vida y ahora ha llegado el momento. No me quiero morir sin saber lo que de verdad he vivido.

No es nada fácil. Hay sentimientos y recuerdos que están muy hondos y les cuesta aflorar, si es que llegan a hacerlo.

Le he hablado de este magnolio, pero no le he dicho que estás aquí. Ésa es otra de las cosas que yo querría entender. ¿Por qué lo hiciste, Laura? Ya bastaba con haberlo plantado contra viento y marea... ¿Por qué quisiste venirte aquí? Podías habérmelo consultado, haberme pedido permiso. El Pazo era ya mi casa. Quizá temiste que te dijese que no. Es posible que me hubiese negado...

¡Qué estúpido soy! ¡Lo más seguro es que ni pensases en mí cuando lo decidiste! Me lo diste resuelto, como tantas otras cosas. Me llamó Maíta para decírmelo: que era tu última voluntad. Me quedé sin habla y dije que sí, claro, cómo iba a negarme. Esta tierra fue de los tuyos desde hace quinientos años y tú querías volver a ella. Me hiciste sentir como un intruso.

Vino uno de tus hijos con la urna, y Maíta vino con él. Creo que era el pequeño y se le veía tan incómodo como yo. Se disculpó «por las molestias», me recordó a su padre, incluso físicamente, tan refinado y tan de otro mundo. Dijo que se lo habías pedido de palabra y que además estaba en tu testamento. Y yo pensé que me lo podías haber dicho a mí..., aunque comprendo que tampoco es sencillo llamar a alguien por teléfono y decirle que quieres enterrarte en su huerta. Y además me conocías bien y sabías que lo más seguro es que te hubiera dicho que no, que ya bastaba de incordiar con el magnolio.

Al final tuve que hacerlo yo. Se veía que tu hijo en la vida había cogido una pala en la mano. Y no hacía más que llorar. Y Maíta lo mismo; no lloró más en el entierro de su madre. Cuando ya tuve cavado el hoyo, tu hijo fue a meter la urna, pero yo le dije que echase las cenizas y que la urna la llevase al panteón familiar. Tuve la seguridad de que eso era lo que tú querías, que las cenizas se mezclasen con la tierra y subiesen por las raíces hasta las flores que este árbol iba a dar algún día. Y en el panteón han puesto tu nombre, junto al de tu padre y el de tu madre y el de los abuelos. Y nadie sabe que estás aquí. Ni mis hijos... Sólo Maíta lo sabe, y le he hecho prometer que no se lo dirá a sus hermanos. No quiero que sepan que hay una tumba en la finca, ni que hagan comentarios sobre si me siento aquí o allá.

A mí ahora me gusta sentarme aquí. Para plantar un árbol era el peor sitio de la finca, el menos abrigado. Pero es la mejor vista, en eso tenías razón. En la primavera voy al cementerio un día a la semana a cambiarle las flores a Isabel, y también a tu padre y a Ramón de Castedo. Corto una brazada en el jardín y las voy repartiendo. Y en invierno les pongo helechos que duran dos semanas. Y aquí vengo todos los días, y cuido el magnolio, como tú querías. Aquélla fue la última vez que hablamos largamente, y que nuestras vidas pudieron ir aún por otro camino. Pero tú sólo viniste a recoger las cosas de tu padre, a plantar este árbol y a decirme: «Cuídalo, Paco». Me gustaría saber qué sentías, Laura, qué sentiste durante tantos años. Si alguna vez te arrepentiste de lo que habías hecho, si me echaste de menos, si pensaste que te habías equivocado. Y también me gustaría saber lo que he sentido yo. Sin mentirme a mí mismo, sin engañarme...

3

¿Lo del perro rabioso? Eso fue como lo contó Laura, más o menos...

Estábamos en las aceñas de Lourido. Era en el recreo y cuando hacía buen tiempo don Marcial nos dejaba una hora triscando por el campo. Casi siempre se venía con nosotros y nos explicaba algo de la vida de los animales o de las plantas, pero a veces nos dejaba que nos desahogásemos en libertad. Aquel día estábamos solos. Laura tenía una pierna escayolada porque se había hecho una fisura en un tobillo al caerse de la bici. Como no podía correr, dijo que ella iba a buscar amorodos. Los amorodos son fresas silvestres y son más ricos que las fresas cultivadas y que los fresones de ahora. Nos desperdigamos para no pelearnos por quién los veía antes. Ésa era una de las cosas que don Marcial nos acostumbró a hacer, que los chicos no peleásemos como bárbaros ni empujásemos a las niñas para quitárselos.

Así que toda la chiquillería de la escuela estaba por allí cuando apareció el perro rabioso. Alguien lo vio, no recuerdo quién, y gritó: «¡Un perro rabioso!». Y fue la desbandada. No era la primera vez que creíamos haber visto un perro rabioso o un lobo. Son los miedos más habituales de los niños que viven en la aldea. Los «chupasangres», que eran personas que robaban la sangre de los niños; la Compaña, la procesión de ánimas en pena que podía arrastrarte con ella al otro mundo; el lobo y el perro rabioso. Unos son miedos nacidos de la ignorancia, como decía don Marcial y también don Gumersindo, el cura. Pero lobos y perros rabiosos no eran fantasías. Se sabía de casos, y cuando alguien gritaba «¡un perro rabioso!», lo primero era echar a correr, y ya después se vería si estaba rabioso o no.

Entonces también corrimos, monte arriba, porque el perro venía por el camino y nos cerraba el paso hacia la escuela. Algunos se subieron a los árboles, y las niñas más pequeñas lloraban y corrían entre las zarzas llenándose de arañazos. Y eso que de cerca sólo lo vimos Laura y yo.

La verdad es que impresionaba. Tenía la boca llena de espuma que le escurría hasta el suelo, y los ojos inyectados en sangre. Y la piel húmeda, con los pelos tiesos, como erizada. Y regañaba los dientes. Daba miedo, porque se notaba que no era un perro normal. Era... ¿Usted vio alguna vez un perro rabioso?...

Pues no sé cómo explicarle. Es un perro loco, un monstruo, que no actúa como los animales, hace daño sin motivo, como las personas. Y eso se nota, y por eso la gente piensa que el Maligno se encarna en la figura de un perro rabioso. Es el Mal, ¿me entiende?, por eso da tanto miedo. Y además estaban todas las historias terroríficas de las personas a las que había mordido un perro rabioso y morían desesperadas, encerradas en una habitación y dándose cabezadas contra las paredes, sin reconocer a su familia y sin poder recibir los sacramentos. Así que yo también me eché a correr sin pensarlo ni un segundo. Mejor dicho: eché a correr, pero me paré cuando vi que Laura no se movía...

No sé por qué lo hizo. No podía correr, pero lo natural era intentarlo, no quedarse allí como una estatua, mirando fijamente al perro que se acercaba. Después dijo que los perros, o cualquier otro animal, te atacan si notan que tienes miedo, que no hay que correr si no estás seguro de correr más que él. Yo también lo sabía, todos lo sabíamos, pero todos corrimos, menos ella. Algunas personas se quedan paralizadas por el terror, pero no era el caso. Laura no estaba aterrorizada, de eso estoy seguro. Estaba absorta, concentrada, mirando al animal que se acercaba con un trotecillo tambaleante. Yo llegué corriendo a su lado y entonces era ya demasiado tarde para ayudarla a escapar. Era seguro que el perro nos alcanzaba, así que me puse delante para defenderla...

¿Ponerme a prueba? No lo creo. Laura era rara, pero no tanto, y entonces no teníamos más que doce años, éramos unos niños y... No sé, Laura leía mucho y en los cuentos el héroe siempre tenía que superar pruebas, pero no creo que a Laura se le ocurriese entonces algo así; era demasiado arriesgado y además ocurrió de repente, no tuvo tiempo de planearlo. Allá en el fondo de su alma, sabe Dios lo que pasaría, pero estoy seguro de que actuó pensando en ella, no en mí. Ni siquiera me llamó ni pidió auxilio. Algunos niños corrían gritando «socorro», pero ella no. Se quedó allí quieta y eso fue todo. Si yo no hubiera vuelto la cabeza para ver lo que hacía, no me habría enterado de que se había quedado atrás. Yo creo que Laura debió de pensar que no podía correr tanto como el perro y tuvo la calma de quedarse quieta. Eso fue lo que hizo, y seguramente fue lo más acertado.

Yo tampoco sé por qué lo hice. Me salió así, sin pensarlo: primero correr y después volver a por ella y quedarme allí...

Sí, ya sé que Laura le dio mucha importancia a aquello. En realidad, todos los niños de la escuela, sobre todo las niñas. Los chicos también, pero en ellos se mezclaba con la rivalidad, y en las chicas, no. Yo ya era antes, en cierto modo, el líder. Como mi padre era guarda forestal, yo campaba a mis anchas por los bosques y sabía dónde estaban las mejores setas y los nidos con los huevos más bonitos, y las madrigueras de los conejos. Pero después de aquello quedé como un héroe. Isabel, mi mujer, que entonces era de las más pequeñas, sólo tres años más joven, pero ya sabe, a esas edades tres años son una enormidad, me dijo un día que yo siempre le había gustado, desde que tenía uso de razón, pero que desde aquel día se había enamorado de mí, y que estaba muy triste, me dijo, porque pensaba que nunca podría ser mi novia porque yo era el novio de Laura, y que muchas veces se dormía pensando que venía un perro rabioso y que yo la salvaba, como había salvado a Laura.

Me lo dijo cuando llevábamos varios años de casados. Mi mujer era reservada y le daba vergüenza hablar de sus sentimientos, era parecida a mí en eso. No como Laura, que se pasaba la vida dándole vueltas a las cosas y cortando un pelo en cuatro. Me gustó oírlo, aunque ya teníamos dos hijos; qué tontería, ¿no?, pero me gustó saber que ella me quería desde tan pequeña. Por eso a veces pienso que hay que decir las cosas, cuando son buenas, porque si no las dices es como si no existieran. Yo, cuando los dos ya moceábamos, me daba cuenta de que a Isabel no le era indiferente, esas cosas se notan, por cómo te mira, por cómo te contesta cuando tú le hablas, pero sólo cuando me dijo aquello supe que yo era el hombre que había querido siempre, que no había pensado ni soñado con otros, ni siquiera con artistas de cine; sólo conmigo. Yo era lo que ella había deseado siempre, y eso da mucha satisfacción...

Los hombres somos diferentes. Hay mujeres que te gustan y con las que te enganchas y otras a las que quieres. Y normalmente te enamoras varias veces. Y puedes querer mucho a tu mujer y tener una aventura con otra. Las mujeres ahora también, ya se encarga mi hija Maíta de repetírmelo, pero en los hombres eso siempre ha sido algo normal...

Pues sí. Supongo que se puede decir que estaba enamorado de Laura a los doce años...

No es que no quiera hablar de eso. Sabía que acabaríamos hablando de lo que yo sentía por Laura, de modo que si no quisiera hablar no estaríamos hablando. Lo que pasa es que no es fácil decir lo que uno siente cuando es tan complejo y tan poco claro. Yo vivía pendiente de ella, eso es cierto. Pero siempre hubo entre nosotros una distancia que a veces ella se saltaba de un modo repentino e inesperado... Sí, como el día del hórreo, pero también otras muchas veces antes, de forma menos escandalosa...

Iba a casarse con otro hombre, por su propia voluntad, sin que nadie la obligara. Y se acostó conmigo. Si a usted eso no le parece escandaloso, a mí sí. Y si no deja de interrumpirme no voy a poder decir lo que quiero decir...

Lo que quiero decirle ahora es que yo nunca sentí que Laura fuese mi novia, ni a los doce años ni en ningún otro momento. A pesar de todo lo que la gente del pueblo creía, e incluso don Marcial y sus amigos de la tertulia. Y no lo fuimos porque yo nunca le dije «quieres ser mi novia», que fue lo que el Roxo le dijo a Carmiña, ya en la escuela, y, si ella decía que sí, aquello significaba que no iba a hacer caso de lo que otro chico le dijese y que cuando fuesen mayores se casarían y tendrían hijos. Así eran las cosas aquí entonces: en algún momento había que formular con palabras un compromiso. Y creo que así siguen siendo, si de verdad quieres para ti a una mujer, si sientes que la quieres para siempre. Y eso entre Laura y yo no lo hubo nunca...

Siempre es un asunto de dos. Laura no quiso, obviamente. Lo normal era que fuese el hombre quien lo plantease, pero si ella hubiese querido habría dado el paso. Igual que fue a sacarme a bailar en la fiesta del Carmen, o se me echó en los brazos en el hórreo. No quería ser mi novia, no quería ese compromiso. Y mi conducta estuvo siempre en función de la suya. Eso lo sé ahora, pero tardé mucho tiempo en darme cuenta. Iba a remolque de lo que ella hacía. Marcaba la pauta de nuestra relación y yo no era consciente de ello. Pero Laura lo tuvo muy claro desde niña. Se lo explicó bien cuando le contó lo del perro rabioso. Recuerde. Le dijo: «Durante años me sentí como una reina que tuviese a su servicio al más fiel de los caballeros». Se sentía así ya antes, y el episodio del perro vino a confirmarla en sus sentimientos.

Estaba convencida de que yo daría mi vida por ella, de que estaba dispuesto a morir con la peor de las muertes por salvarla a ella...

Yo eso lo habría hecho por mi mujer, sin duda, y por mis hijos. Pero por Laura no me lo he planteado. Aquello fue una cosa de niños y, sobre todo, una cosa instintiva, a la que yo no le doy el menor valor. Sólo somos responsables cuando podemos elegir libremente. Es como si te cae encima una araña venenosa y, al sacudírtela, se la echas a otro. Si esa persona muere, tú no debes sentirte culpable ni responsable de ello. Pues aquello era lo mismo, sólo que al revés. Yo volví a donde estaba Laura y lo mismo pude haber seguido corriendo, porque no lo pensé, no tomé una decisión. Y, una vez a su lado, hice lo que te dictan siglos de conducta, que se convierten en instinto: me puse delante porque yo era el hombre y porque eso es lo que han hecho los hombres desde los tiempos de las cavernas. Y tampoco lo piensas. Lo haces, y ya está.

Lo que me cabrea es que Laura, si yo no hubiese actuado así, se habría sentido decepcionada. No tenía el menor empacho en decirlo. Ella era muy moderna y muy feminista, y también mi hija Maíta, que estuvo adoctrinada por ella desde que llegó a la Universidad, pero en esos casos quieren que los hombres actúen como machos y no como seres humanos que pueden tener tanto miedo como las mujeres y que pueden moverse por el instinto de la propia supervivencia y no por el instinto de defender a su hembra...

¿La diferencia de clase social? La reina y el vasallo... ¡Quién sabe! Yo no pensé que era el hijo del guarda y ella la nieta de los señores del Pazo cuando volví para protegerla, ni cuando le enseñaba los nidos más escondidos o le daba los mejores amorodos. Ni creo que ella lo pensara. Los demás sí, desde luego. No don Marcial, ni sus a-migos, pero la gente del pueblo sí lo pensaba.

Aunque el Pazo fuese una ruina y don Marcial no tuviera más dinero que el sueldo de maestro. Para ellos era la señorita del Pazo. Cuando hablaban de ella nunca decían «la hija del maestro», aunque a él lo adoraban, es algo curioso. Pero su hija no era su hija, sino la señorita del Pazo o Laura la del Pazo. Y yo era Paco el del guarda.

Lo que piensan los demás te va calando sin que tú te des cuenta. Y los niños, en esa edad de la escuela, son muy sensibles a las diferencias sociales, yo lo veo por mis nietos. Así que es posible que los dos, sin ser conscientes de ello, actuásemos como lo que éramos socialmente. Pero yo no lo recuerdo así. Lo que recuerdo es que los días no se dividían en doce horas o en mañana, tarde y noche. Tenían sólo dos partes: cuando estaba con Laura y cuando no estaba con ella. Y la parte del día en que no la veía o no estaba con ella era sólo una espera o una preparación para la otra parte. Así que es posible que ésa fuese la razón por la que me puse delante del perro rabioso. Y ni siquiera lo tuve que pensar. Mi vida entonces estaba en función de la vida de Laura, y acudí a su lado como los pájaros acuden al reclamo. Y si en el camino los mata un cazador, pues ni se enteran.

Laura

No tenías ni una vara, ni una piedra, pero me dijiste: «No tengas miedo, que no te hará nada», y te quedaste allí, tapándome con tu cuerpo, mientras el perro daba vueltas a nuestro alrededor mostrando amenazadoramente sus dientes.

Entonces no sabíamos que había vacuna para la rabia, o lo sabíamos vagamente. Lo que teníamos en la cabeza eran las historias de perros rabiosos, de gente que moría echando espumarajos por la boca, revolcándose de dolor por el suelo y tirándose contra las paredes porque los había mordido un perro rabioso. Era la peor de las muertes, sólo comparable a la de los enterrados vivos.

Después de aquello, ya no me quedó duda acerca de lo que estabas dispuesto a hacer por mí.

4

De los tertulianos de don Marcial poco puedo añadir a lo que usted ya sabe por Laura. Yo seguí viéndolos cuando ella se fue, pero su vida estaba ya trazada desde mucho antes y no hubo más cambios que los de la edad: se fueron haciendo viejos, sus paseos eran más cortos, sus tertulias acababan antes, dejaron de ejercer sus trabajos, y se fueron muriendo. A mi juicio tuvieron una existencia envidiable y para mí han sido un modelo de vida. Pero no sé si se ha dado cuenta de que Laura no soportaba aquel modo de vivir...

No quiero decir que no los estimase. Los estimaba, desde luego, y les tenía cariño, sobre todo a Ramón de Castedo y a Benjamín, que fue quien la atendió en las enfermedades infantiles. Con don Gumersindo se llevaba peor, no porque fuese cura, sino por su forma de ser. Era un poco bruto, voluntariamente bruto, no se andaba con rodeos y llamaba a las cosas por su nombre. Y con Laura tuvo un par de encontronazos. Le decía cosas que Laura no quería oír: que su padre no se había casado por no darle una madrastra y que ella lo abandonaba yéndose a Madrid, cosas así. Y también le soltó un par de tarascadas sobre los niños bonitos, sobre su marido, cuando aún no era su marido... Ellos pensaban que Laura se iba de aquí por él, y por eso les cayó mal...

Yo creo que Laura se hubiera ido de todas formas, con ése, con otro o sola. No se daban cuenta de que ellos representaban justamente el tipo de vida que Laura no quería vivir...

No es fácil de explicar. Era gente sin ambiciones, o quizá habría que decir sin pretensiones, o sin aspiraciones, igual que don Marcial. Y eso, según se mire, puede resultar bueno o malo. Y hubo un momento en que a Laura le pareció más negativo que positivo.

Había cosas en esa forma de vivir que la atraían. Los cuatro amigos se reunían todas las noches. Cada uno cenaba temprano en su casa y después se juntaban en el Pazo. Don Gumersindo cenaba solo. Ramón de Castedo lo hacía con sus hermanas, y Benjamín, con sus padres mientras vivieron y después con un sobrino que era enfermero y le servía de ayudante. En cuanto acababan se iban al Pazo. En los días de verano se sentaban en el huerto y todavía veían ponerse el sol. Si la noche era buena se quedaban allí, y en cuanto empezaban a acortar los días y a hacer frío se instalaban en la biblioteca y encendían la chimenea.

Se quedaban de charla a veces hasta la madrugada. O quizá no fuese tanto, pero eso era lo que Nana decía. En la vida de un sitio tan pequeño, donde la mayoría se acostaba con las gallinas y se levantaba al alba, la tertulia de aquellos cuatro hombres sonaba a rareza, no digo a juerga, porque estando don Marcial quedaba descartada, pero precisamente por eso resultaba raro; si hubieran estado bebiendo o jugando a las cartas o hubiese mujeres, lo entenderían mejor que reunirse para hablar. En verano bebían unos vasos de vino fresco y en invierno una copa de coñac, y fumaban; Ramón de Castedo, su pipa; don Gumersindo, un puro, y don Marcial y don Benjamín, algún cigarrillo. A ratos se quedaban callados disfrutando tranquilamente del tabaco o de la copa y de la compañía de los otros.

Eso a Laura le gustaba: la imagen de los cuatro amigos contemplando la puesta del sol o las llamas de la chimenea; la tranquilidad, el sosiego... Pero no soportaba la rutina, el saber que un día tras otro todo iba a seguir igual, la falta de horizontes, la limitación que todos ellos habían puesto a sus vidas...

Laura me habló alguna vez de esto, pero lo sé sobre todo por lo que dice mi hija Maíta, que, si fuese hija de Laura, no se le parecería más. Laura no tuvo niñas y en cuanto Maíta se fue a la Universidad la cogió bajo su protección. En realidad ya antes, desde que la vio por primera vez la amadrinó. No sé por qué con Maíta y no con las otras; fue una simpatía mutua. Maíta habla por su boca. A veces la oigo hablar y me parece estar oyendo a Laura, las cosas que Laura no dijo, pero que yo sé que pensaba.

De «los cuatro pies para un banco», como llamaba Nana a los tertulianos, pensaba que podían haber hecho muchas más cosas en la vida, cosas valiosas, y que no las habían hecho por falta de ambición, pero también por pereza, por comodidad, por apatía.

De don Gumersindo pensaba que era cura por conveniencia. No era la única. Se decía que su padre, que tenía tierras de labor, le planteó un día, viendo la poca disposición de su único hijo para trabajar la tierra: «Sindo, a cavar en la roza o cura». Y Sindo aceptó irse al Seminario de Brétema, del que se escapaba para ir a fiestas y romerías descolgándose por los balcones con cuerdas. Todas esas historias las contaba Nana, que también fue la que contó su «conversión»...

Don Gumersindo había pretendido a la madre de Laura en su juventud, igual que Benjamín y Ramón de Castedo. Por clase social tenía menos probabilidades que los otros dos, pero no era pobre: tenía tierras y, sobre todo, era, según Nana, el mozo mejor plantado de toda la comarca, que llevaba de calle a señoras, señoritas y mozas de veinte leguas a la redonda: un verdadero donjuán, sobre todo desde que la madre de Laura se decidió por don Marcial y se casó con él. Al parecer se consolaba del fracaso yendo de mujer en mujer, aunque sin dejar el Seminario, donde sólo le faltaban las últimas órdenes. Y, siempre según Nana, eso se acabó el día, o mejor dicho, la noche en que murió doña Inmaculada, poco después de dar a luz a Laura. Sindo no volvió a salir de juerga y al año siguiente cantaba su primera misa. Y como cura nunca dio un escándalo, aunque se notaba que le gustaban las mujeres y no tenía empacho en hacer bromas sobre el asunto.

Ése era el aspecto de don Gumersindo que a Laura le resultaba simpático. Pensar que había estado enamorado de su madre. Aunque estaba convencida de que las bromas de don Benjamín tenían un fondo de verdad. Solía decirle: «Con un ama como la tuya, yo también me metía a cura, Sindo».

Y también le gustaba que don Gumersindo se reuniera a diario y se llevase bien con tres ateos que no pisaban la iglesia. Quizá se debiera a que no estaba muy convencido de lo que predicaba, pero aquella forma de poner la amistad por encima de las convenciones sociales le parecía una buena cualidad. Lo que la irritaba era que no le siguiese la corriente como los otros cuando intentaba justificar su marcha a Madrid y su matrimonio. Ya sabe, aquello de la necesidad de encontrar su propio mundo y vivir su propia vida, algo que no fuese heredado, en fin, ya sabe lo que Laura decía. Y don Gumersindo le hablaba de la soledad de su padre y de lo que había sacrificado por ella, y, cuando ella decidió casarse, le dijo: «Piénsalo bien porque el gusto se pasa y te vas a arrepentir».

Eso lo sé por Nana. A mí Laura sólo me dijo que don Gumersindo tenía una idea muy elemental de las mujeres y, en general, de las relaciones humanas. Y que era inútil intentar explicarle nada que no entrase en sus esquemas.

Con los otros dos se entendía mejor. Don Benjamín era un buen médico, un buen médico de pueblo, que es lo que aquí hacía falta. Era un hombre inteligente y su familia tenía medios económicos, así que pudo haber hecho una especialidad, haber ampliado estudios y haberse ido. Pero acabó la carrera y se vino aquí. Recibía publicaciones médicas y estaba enterado de lo que se hacía por ahí fuera. Y era un hombre modesto; siempre decía que, para componer huesos, Bastián de la Xesta, el curandero, era mejor que él. Y para partos, María de la Braña.

Nunca denunció al uno ni a la otra, como solían hacer los médicos de otros pueblos. Por buena persona, desde luego, pero también porque estaba convencido de que los dos hacían bien su trabajo, y de que tampoco iba a resolver él lo que ellos no arreglaran. Cuando había algo que no veía claro o que le parecía sospechoso, mandaba enseguida a la gente al hospital provincial. Salvó muchas vidas, se lo aseguro. A mi mujer no pudo salvarla porque cuando se sintió mal era ya demasiado tarde. Y en Madrid me dijeron exactamente lo mismo que él me había dicho, pero con menos miramiento. Era un buen médico y una buena persona.

Laura, a su manera, lo admiraba. Decía que tenía que haber gente como él, que sacrificase un porvenir profesional brillante para mejorar el nivel de la atención sanitaria en los pueblos. Lo veía como un sacrificio, igual que mi hija Maíta. No entienden que alguien se quede aquí por gusto, porque eso es lo que quiere hacer, lo que prefiere. Y cuando admiten que es una elección, lo atribuyen a la pereza, a la comodidad, al miedo a la competencia...

Por supuesto que de mí pensaba lo mismo. Pero déjame acabar con lo que estaba.

Don Benjamín tampoco se casó y también fue un pretendiente desdeñado de doña Inmaculada. Maíta dice que todos, excepto don Marcial, eran un poco misóginos, les gustaba estar entre hombres haciendo lo que les daba la gana, sin tener que atender a las exigencias de una mujer y a las obligaciones de unos hijos. No se cree la historia del enamoramiento colectivo y del celibato por amor. En eso es en lo único en que la he visto discrepar de Laura.

Laura pensaba que su padre no se había vuelto a casar por amor a su madre, por no haber podido olvidarla, y no, como decía don Gumersindo, por no darle a ella una madrastra. En realidad sentía celos de su madre. Adoraba a su padre y sentía celos de la añoranza que él seguía sintiendo de su mujer. Don Marcial la perdió muy pronto, en pleno enamoramiento, y nunca se recuperó de aquella pena. Pero de esto ya hablaremos en otro momento.

El tercero de los tertulianos era Ramón de Castedo. Los que entienden de eso dicen que era un buen pintor. Hay obra suya en varios museos y cada vez sus cuadros valen más dinero. A mí me gusta, pintaba paisajes de por aquí y sus cuadros tienen algo especial; no es sólo que reconozcas tal monte o tal camino. Es la luz que tienen, y el aire, y una forma suya de ver la tierra y de hacer que tú la veas. La tierra es siempre la misma, los mismos árboles, el mismo río, las mismas montañas, pero te puede parecer alegre o triste según tú estés. Y, sin embargo, los cuadros de Castedo te hacen verla como él la vio. Aunque tú estés triste te das cuenta de que aquel cuadro es alegre, y al contrario: tú puedes estar alegre, pero te das cuenta de que él estaba mirando aquel paisaje con tristeza. Y eso a mí me parece un mérito, porque a la tierra le importan un pito tus penas o tus alegrías. Y, sin embargo, él era capaz de poner sus sentimientos allí y de hacer que tú los sintieses.

Pero Maíta dice, y Laura pensaba lo mismo, que era un pintor local y que con sus facultades pudo haber sido un gran artista, pero que nunca se tomó la pintura en serio, ni se planteaba mejorar su técnica o buscar nuevos caminos. Ni siquiera se interesaba por lo que estaban haciendo otros pintores en su tiempo, dice. Miraba hacia atrás, hacia el pasado. Cada cierto tiempo hacía un viaje para volver a ver un museo que ya conocía: el Prado, el Louvre, se los sabía de memoria.

Ramón de Castedo fue, si no el novio, el pretendiente oficial de la madre de Laura, hasta que apareció don Marcial y lo desbancó. El retrato que Laura tiene de su madre lo hizo él. Era una chica preciosa y se nota que él la quería cuando la pintó, porque parece que sale luz de ella. Castedo era de familia hidalga y por eso todos pensaban que tenía más probabilidades que los otros, pero ella se casó con el más pobre. De todas formas, la familia de Castedo, como la de Laura, tenía más pergaminos que dinero. Su padre era juez y a él lo mandaron a estudiar Derecho, pero nunca ejerció. En realidad nunca ha trabajado en nada. Mi madre, antes de nacer yo, era doncella de la madre de Castedo y me contó que el padre tenía con él unas agarradas terribles, porque no quería ni oír hablar de la pintura, quería que el hijo fuese juez, como él, y la madre sufría de ver enfrentados al padre y al hijo. Mientras vivió el padre, Castedo no pintó nunca aquí para no disgustar a su madre, pero tampoco ejerció la carrera, que había hecho a trancas y barrancas. Así que no trabajaba en nada, ni de abogado porque no le gustaba, ni de pintor por no contrariar a la familia...

Vivían modestamente, él y sus dos hermanas. Otro hermano, que tampoco se entendía con el padre, murió en la guerra, luchando en el bando republicano. Tenían la pensión del padre y una pequeña finca, que arrendaban. Y así siguieron hasta su muerte. La hermana más joven se murió hace aún pocos años. La pensión debía de ser miserable, y la renta poco más. Y tenían que pagar a una mujer que les limpiaba la casa, y los atendía a los dos. Pero ya le digo que sus cuadros ahora se venden caros y de vez en cuando venía un galerista de Madrid y se llevaba uno. Aunque a veces se iba de vacío porque Castedo casi no salía de casa ni creo que pintase y no es porque fuese muy viejo, era el más joven de la tertulia, un poco más joven incluso que mi madre. Pero en los últimos años se encerró en casa y no pintaba.

Eso es lo que a Laura le parecía mal: que nunca se tomó la pintura como un trabajo ni como una vocación, que se quedase en poco más que un pintor aficionado, teniendo cualidades excepcionales, y que la pintura ni siquiera le haya dado dinero...

A mí me parece bien. ¿Para qué iba a trabajar si con lo que tenía le daba para vivir a su gusto? Y en cuanto a sus cuadros, yo creo que si no les diese importancia no pondría en ellos tanto de sí mismo. Yo no entiendo de pintura, pero hago casas, y sé cómo salen cuando las hago a mi gusto o cuando es un puro encargo, de esos de ponle una terraza que dé a la carretera y un corredor para el otro lado y dos ventanales como los de Fulano y un porche como el de Zutano. Pues los cuadros de Castedo nunca eran de encargo, ¿me entiende?, ni hechos por obligación, para ganarse la vida. Pintaba cuando le salía de... Pintaba cuando le apetecía...

Ya sé que no se va a escandalizar porque diga cojones, pero, verá, si estuviera hablando con un hombre lo diría con naturalidad, pero hablando con usted lo que me sale natural es no decirlo. Y como creo que no ha venido aquí a hablar de feminismo sino de lo que yo pienso, lo mejor es que me deje contarlo a mi manera, ¿no le parece?...

En fin, yo a Ramón de Castedo le estoy agradecido. Gracias a él y a don Marcial pude estudiar. Mi padre era muy ignorante, el pobre, y bastante bruto y quiso ponerme a trabajar cuando él empezó a perder la vista. Don Marcial y Ramón de Castedo se lo impidieron. Durante varios años le pagaron un jornal por mí, lo que le hubieran dado en la cantera. Don Marcial era muy bueno, pero Ramón de Castedo fue el que se enfrentó a mi padre. Lo amenazó con denunciarlo si me mandaba a trabajar. Yo sólo tenía doce años. Y Castedo controlaba que me dejase horas libres para estudiar. Mi padre pensaba que con saber las cuatro reglas y leer y escribir ya era suficiente, y hubiera cogido el dinero y me hubiera buscado algún trabajo. Pero le tenía respeto y cierto temor a Castedo. Don Marcial siempre fue el maestro, el marido de la señorita del Pazo, y el otro era un señor de los de siempre. Y mi padre estaba acostumbrado a obedecer a los señores. Así que yo le estoy agradecido, pero eso no influye en lo que pienso de él. Creo de verdad que era un buen hombre y un buen pintor.

Sólo tengo un cuadro suyo. Me hubiera gustado tener alguno más, pero a mí no hubiera querido cobrármelo y con lo poco que pintaba no podía ponerlo en esa situación. El mismo don Marcial sólo tenía dos. Uno era el retrato de su mujer, que ahora lo tiene Laura. Ese cuadro y la mesa en la que trabajaba su padre fue lo único que Laura se quiso llevar. Yo los muebles no los quería, así que se vendieron. Y Laura me regaló a mí el otro cuadro...

Pues... se ve... un hórreo...

Sí. Es el hórreo del Pazo.

Laura

Nunca pude entender aquella forma de aceptar las cosas...

No sé si no soporta la compasión y fingió que no le daba importancia, o que, en el fondo, prefería quedarse aquí, como los otros. Como Benjamín, que pudo ser un buen médico y se volvió al pueblo a ser poco más que un curandero; o como Ramón de Castedo, al margen del mundo del arte, encerrado en su casa solariega, pintando como un aficionado...

Fuera de aquí Paco pudo llegar a ser un buen arquitecto, de esos que hacen grandes proyectos, grandes obras. Durante mucho tiempo yo no me atreví a regalarle ningún libro de arquitectura porque me parecía que era como meter el dedo en la llaga. Pero resulta que tiene una espléndida biblioteca con las publicaciones más recientes. Me lo contó Maíta. Desde hace años tiene el encargo de su padre de comprarle todo lo que vea sobre grandes arquitectos. «Aunque sea en finlandés», me dijo.

Pero él no se ha hecho una casa. Siempre quiso ésta, ya de niño le gustaba. A veces se arrimaba a las paredes de piedra y las acariciaba como si fuesen algo vivo. Le gustaba el brillo de la cantería al sol y el color verde de la cara que da al norte... Ahora lo tiene muy cuidado y la huerta la ha llenado de frutales, de árboles que le dan fruta y sombra en el verano...

¡De pronto me sentí tan vacía! ¡Todo lo mío me pareció tan inútil!... Lo vi a él tan centrado, rodeado de los suyos, su madre tan satisfecha, los hijos tan formales, y los nietos dando alegría a la casa...

Era esto lo que en el fondo siempre quiso. No digo que no le doliese renunciar; pero también a mí me dolió marcharme. Es cuestión de decidir lo que uno prefiere. Y él prefirió esto, como Benjamín, como Ramón de Castedo...

5

No sé por qué me regaló aquel cuadro. Puedo intentar explicarle lo que yo sentía por Laura, pero no lo que ella sentía. Ya le he dicho que nunca lo he entendido y si usted ha conseguido verlo claro me gustaría que me lo explicase, realmente le quedaría muy agradecido...

Con franqueza, creo que usted se limitó a repetir lo que Laura le dijo, sin entenderlo tampoco. Y Laura lo mezclaba todo: las grandes verdades que aprendió de su padre con las fantasmagorías de su cabeza. Don Marcial decía: «El que más da es siempre el más feliz». Y eso es verdad cuando uno es una buena persona, cuando se tiene un corazón de niño bueno, como él, o como yo en aquellos tiempos de la escuela. A mí me bastaba estar con Laura, y ya era feliz, no necesitaba nada más. Ni siquiera me planteaba si ella sentía la misma necesidad que yo de estar juntos. Ella aparecía, y a mí me bastaba con eso. Pero uno crece, deja de ser un niño y eso solo no basta. Tienes que saber que la otra persona siente lo mismo, y si no lo siente, o si tú piensas que no lo siente, sufres, y ya no eres feliz...

Lo de don Marcial por su mujer fue distinto. Él tenía la seguridad de que ella lo quería mucho. En aquellos tiempos y para gente de señorío, casarse con un maestro era tanto como decir con un muerto de hambre, un don nadie. Si hubiera vivido el padre es muy posible que no se lo hubiera permitido y la hubiera desheredado o algo así. Y para la madre, cuenta Nana que fue un gran disgusto, porque ya entonces andaban mal de dinero y esperaba que Inmaculada se casara con alguien que mejorase el patrimonio, o, por lo menos, con alguien de su clase como Ramón de Castedo. Así que don Marcial tenía la seguridad de que su mujer lo quería de verdad, por él mismo, por su carácter, por su manera de ser, ya que dinero no tenía y tampoco era guapo. Es normal que no la olvidara: estaba muy enamorado, se sentía correspondido, ella se murió muy joven; es una tragedia, esas cosas no se olvidan. Además, aquí no había mujeres que pudieran compararse a doña Inmaculada: tan guapa, tan bien educada, había estudiado en un colegio francés; era como una princesa. Después de estar casado con aquella preciosidad ¿en quién iba a poner los ojos?...

Lo de Laura no tiene nada que ver con eso. Usted sabe que Laura se enamoró de un cuadro cuando tenía trece o catorce años... Era un cuadro de Boticcelli, un san Juan, que venía en un libro que le había regalado Ramón de Castedo. Ella misma se lo dijo: que había sido una premonición de lo que viviría después...

Yo entiendo que quiso decirle que se había enamorado de algo que sólo existía en su cabeza, de una persona que no era real, que no había existido nunca. Y que con su marido le pasó lo mismo. El hombre del retrato no hablaba y Laura pudo fantasear a su gusto con lo guapo que era. Pero su marido era de carne y hueso, y por eso no fue feliz con él, porque la realidad no se correspondía a lo que ella creía que había debajo de la apariencia física...

¿La pasión de los feos por la belleza? Eso se lo dijo don Benjamín, creo, porque a todos les pareció mal que se echase aquel novio. Pero Laura no era fea. No era guapa como su madre, desde luego, no se la podía considerar una belleza. Incluso a alguna gente podría parecerle que no era guapa, pero fea de ningún modo, qué va, y siempre tuvo una elegancia y un estilo, algo especial... Pero a lo que iba: yo también creo que uno puede enamorarse de la belleza. Lo que don Benjamín le dijo apoya mi tesis de que Laura se deslumbró con el físico de aquel hombre, además de vincular a él la idea de independencia, el deseo de hacer su propia vida, salir de aquí, romper con lo heredado...

No sé cuánto le duró... Ni creo que Laura lo supiese tampoco. Hay caminos que no tienen vuelta. Sólo si te das cuenta muy pronto de que te has equivocado puedes rectificar y volver sobre tus pasos, pero cuando pasa el tiempo ya no es posible. Lo que has andado pesa demasiado, y, si retrocedes o cambias de dirección, significa que has echado a perder tu vida, que todo era un error, y eso es muy duro de admitir. Es como lo de las monjas enclaustradas...

A Laura la fascinaban las ceremonias de profesión de las monjas enclaustradas. De niña, Nana la llevaba a Brétema para verlas y yo también fui alguna vez. Es algo muy impresionante, pero a mí no me gusta y procuré que mis hijas no fuesen. La novicia, que es muy joven, o al menos antes lo era, está detrás de las rejas de la clausura, de rodillas o tumbada en el suelo como muerta. La rodean las otras monjas, ya cubiertas con el velo. Le cortan el pelo antes de ponerle el hábito oscuro y ella va pronunciando los votos y diciendo una y otra vez «para siempre», «para siempre». Es una renuncia definitiva a la vida exterior, a su familia, al mundo que queda fuera de los muros del convento. ¿Y todo eso para qué? Hay un momento en el que la superiora pone sus manos sobre la cabeza de la novicia y le asegura que si cumple los votos ella le promete la vida eterna. Laura asistía a aquella ceremonia como si estuviera en trance. Todo el mundo se impresiona, porque la iglesia está a oscuras y suena el órgano, y ver a aquella chica tan joven diciendo que se va a encerrar para siempre en aquel caserón, y a la superiora hablando de la muerte y de la eternidad, encoge el corazón. En fin, lo que quería contarle es que un día, ya cuando andábamos por los diecisiete, y sin venir mucho a cuento, en las fiestas de Brétema, pasando por delante del convento de las enclaustradas, Laura me dijo: «¿No dudarán nunca de si hay vida eterna?», y estuvimos un buen rato dándole vueltas al tema, eso era muy propio de Laura, que en una fiesta de pronto se ponía a hablar de la muerte o cosas así. Yo pensaba, y lo sigo pensando, que si te metes allí a los quince o a los diecisiete años, cuando han pasado veinte, si se te ocurre dudar, no te crees la duda; piensas que es el diablo que te está tentando y que tienes que rechazar esas cavilaciones. Y si alguien quisiera convencerlas para que saliesen del claustro e hiciesen una vida más normal, rezarían por él, para que Dios lo iluminase y comprendiese su error. No pueden dudar, porque es un camino sin vuelta. Nadie puede soportar haber dedicado su vida a algo inútil, a algo equivocado... Y yo creo que a Laura le pasaba eso con su marido...

A usted, al parecer, Laura le dijo que le había durado toda la vida lo que sentía por su marido, que siempre siguió sintiendo lo mismo por él. Si fue así, yo no entiendo que no fuese feliz. Por eso no lo creo. Yo también se lo pregunté, y a mí no quiso contestarme. Quizá porque se lo pregunté mal, en un mal momento y de forma impertinente. Pero quizá porque no sabía qué decirme...

Fue cuando vino a plantar el magnolio. Yo estuve desabrido, ella me estaba poniendo negro con lo que hacía y con lo que decía. Me estaba contando lo de su hijo pequeño; con diecisiete años dejó embarazada a una chica y tuvieron que casarlos. Él no pudo seguir estudiando, se puso a trabajar, ya sabe, esas locuras que hace la gente joven. Y me había hablado de Maíta de un modo que me hizo pensar que también ella se andaba acostando con cualquiera. A mí esas cosas no me parecen bien, esa promiscuidad. En fin que, entre eso y la historia del magnolio, me puso de mal humor: aquello de venir a plantar un árbol cuando lo que tenía que hacer era arreglar las cuentas, y aquel empeño en hacerlo ella sola, y plantarlo en el peor lugar de la finca, y aquella forma de tratarme como si yo siguiera siendo el Paco de los doce años, dispuesto a aceptar todo lo que ella decidiese... Ella hablaba de su hijo, de que se había empeñado en casarse sin atender a razones, sin pensar que los dos eran demasiado jóvenes y que al cabo de algunos años querrían recuperar su libertad. En un momento dado, dijo: «¿Cuánto les va a durar?». Y a mí me salió del alma: «¿Cuánto te ha durado a ti?»...

No me contestó. Se fue a buscar unas cervezas y me dijo que el magnolio no lo tocase, que ella lo plantaría; que el magnolio era un árbol inútil, que tardaba mucho en crecer, y que sólo daba flores. Como si a mí no me gustasen las cosas hermosas y buscase sólo la utilidad y el provecho...

Lo dijo para molestarme, desde luego, pero yo también se lo había preguntado a mala idea. No tenía que haberlo hecho, porque no era el momento: estaba enferma, había perdido a su padre, se la veía cansada y triste, y muy sola. Y con poco dinero y los hijos con problemas... Yo también había perdido a mi mujer hacía poco tiempo, tres años, pero, en buena hora sea dicho, mi vida había sido y ha seguido siendo mucho más feliz que la suya...

Para empezar, yo tengo la satisfacción de haberle dado a mi madre todo lo que necesitaba y de haber conseguido que viviese una vejez feliz, rodeada de sus nietos, querida, bien cuidada, en una casa cómoda donde no le faltaba de nada. Y Laura debía de estar pensando en lo solo que vivió don Marcial desde que ella se fue, en todo el cariño que le faltó a su padre y en todas las incomodidades que sufrió. Así que no era el momento de recordarle que ella era la responsable de que la vida de su padre no hubiera sido lo feliz que podía, que debía haber sido...

Sí, creo que hizo mal yéndose. Y que yo hice bien quedándome. Lo he pensado tantas veces que no tengo que reflexionar para contestarle. Ni don Marcial ni Ramón de Castedo me dijeron lo que debía hacer. Mi padre estaba perdiendo la vista por un tumor, y mi madre estaba casi inválida por la artrosis. Pero si yo hubiera querido me habrían conseguido una beca y alguien que cuidase a mis padres. Hasta don Gumersindo me lo dijo, que él hablaría con el obispo de Brétema para que los aceptasen en el asilo y para que yo pudiese estudiar en la Universidad. Todos tenían la idea de que era un talento y pensaban que a la larga sería mejor, incluso para mis padres, que siguiese estudiando. Pero don Benjamín me dijo que mi padre no viviría los seis años que dura la carrera de arquitecto y que era posible que mi madre tampoco, porque a la gente que nunca ha salido del lugar donde nació les pasa como a las plantas cuando las arrancas de su tierra y las llevas a otra, que a veces se secan y se mueren sin que se sepa por qué. Así que decidí que aquí me quedaba y que los cuidaría mientras viviesen. Y a don Marcial y a todos los otros les pareció bien. Y yo no me he arrepentido nunca, al contrario; me alegro de haber tomado aquella decisión.

Mi hija Maíta piensa que hice mal, no desde un punto de vista moral, pero cree que debería haberme ido a la Universidad. Y eso me hace pensar que también Laura lo creía. Maíta, ya le dije, siempre estuvo muy influida por ella. Mi hija piensa que yo podía haber sido un Mies van der Rohe o poco menos. Piensa que su padre es un genio. Y por supuesto se equivoca. Los genios siempre acaban saliendo a flote, por muchas dificultades que tengan. Y no es mi caso. Habría sido arquitecto en lugar de aparejador, y habría podido firmar mis proyectos desde el comienzo en vez de buscarme a un socio que los firmase. Ésa sería la única diferencia. Y que estaría lleno de remordimientos... O quizá no, porque cuando tomas una decisión de ese tipo también te buscas la componenda con la conciencia. No es fácil vivir pensando que has sido un miserable con tus padres, así que te dices que tu vida es lo único que tienes y que cada uno tiene que vivir la suya, y encontrarse a sí mismo, ya sabe, razonamientos de ese tipo, como los que hacía Laura. Pero aquel día que plantó el magnolio ella estaba muy triste y muy sola, y yo no tenía que haberle hablado así. Nunca hasta ese día había hecho nada para herirla voluntariamente.

Creo que lo hice por Maíta, por cómo hablaba de ella. Me di cuenta de que sabía de mi hija mucho más que yo y más de lo que su madre había sabido. Sentí como si la estuviese apartando de mí, en cierto modo como si se apropiase de mi hija; una cosa rara.

Y también me irritaba verla allí plantando un magnolio, en el lugar equivocado, en el momento equivocado, y que yo tendría que cuidarlo o arrancarlo, como el granado, otra vez la misma historia tantos años después...

Laura no me contestó. Se fue al Pazo a buscar unas cervezas. Aquel día hacía mucho calor. Me dijo que no tocase al magnolio. Y me miró. ¡Dios! Esa forma de mirar de Laura... Como si te midiese, como si te tasase. Si a su marido lo miraba así, y seguro que lo hacía, no me extraña que él buscase consuelo en otras...

Laura

¿Hasta cuándo? ¿Hasta cuándo la alegría? ¿Hasta cuándo el orgullo?

¡Cuántos habrán pensado que fue una cuestión de cama! Yo les dejé que lo pensaran, pero no es verdad, nunca lo fue; en eso, mucho mejor contigo, ya ves, aquel placer tan real, tan concreto como el olor de las manzanas que rodaban por el suelo y como el roce de la arpillera.

Con Fernando era otra cosa, que no tenía que ver con el cuerpo, o quizá sí, pero de una forma más sutil. A mí me bastaba con estar a su lado. Me pasaba horas mirándolo mientras él hacía ejercicios en el piano. No escuchaba la música, lo miraba a él: su cara, sus manos, sus gestos; aquella forma de inclinar la cabeza y de cerrar los ojos, y de abrirlos para comprobar que yo seguía allí, adorándolo en silencio; su sonrisa... Quizás por eso no quería tener hijos: necesitaba toda la atención para él.

Yo era feliz protegiéndolo, sintiéndome impor-
tante en su vida. «Eres el orden para mi desorden»,
solía decir, y creo que sí lo fui: secretaria, amiga, aman-
te, enfermera, criada... El orden para su desorden,
como antes lo había sido Giovanni. Cuando me cono-
ció, le dijo a Fernando: «Tu hai fatto una buona
scelta», sin rencor, con una tristeza serena que enton-
ces no entendí. Lo quiso mucho, sin duda. ¡Cómo se
puede inspirar tanto amor y dar tan poco a cambio!...

Los árboles inútiles, como este magnolio, que nunca
veré florecer.

El amor no es gusto, ni admiración, ni buen enten-
dimiento, ni cariño. No necesita del objeto para mante-
nerse vivo, crece con las dificultades, con la ausencia, con
la distancia, y la muerte no puede destruirlo...
El amor es algo que nosotros inventamos para
vivir. Lo dijo Machado:

Todo amor es fantasía;
él inventa el año, el día,
la hora y su melodía;
inventa el amante y, más,
la amada. No prueba nada
contra el amor, que la amada
no haya existido jamás.

6

Se está bien aquí. La vista es magnífica. En eso estuviste acertada, Laura...

Se está bien porque yo he hecho este banco y este muro para cortar el viento, si no aquí no se paraba. Le di muchas vueltas hasta encontrar una solución que me gustase. Miré en todos los libros de arquitectura que tengo, pero no encontraba nada que encajase aquí, así que lo saqué de mi cabeza. Supongo que a ti también te gusta...

Mis casas te gustaban, o al menos eso decías. El muro lo hice para proteger al árbol mientras crecía y el banco porque me apetecía sentarme y quería un sitio cómodo donde apoyar la espalda. Por eso lo hice de madera, además de bonito es más caliente en el invierno. Y el muro, ya ves, se ha cubierto de musgo y muchos turistas vienen a hacerle fotos, algunos creen que son restos de una iglesia románica y otros las hacen porque les gusta el sitio, sin más. En verano hay que tener cerrada siempre la cancela porque sino parece una romería... A ti quizá te parezca un pastiche, pero tendrás que reconocer que no queda mal, y que gracias al muro se ha logrado este árbol, que menudo embolado me dejaste...

Hay docenas de variedades de magnolios, algunos bastantes resistentes y de crecimiento rápido. Pero tú fuiste a escoger la más difícil, la más lenta..., también la más bonita, eso es verdad. A veces pienso si lo elegiste al tuntún, pero Maíta me dijo: «Parece mentira que, conociéndola, digas eso de Laura»...

Lo escogiste por foto, seguro, el que más te gustó, y no te preocupaste de si era adecuado para este clima o no, ni siquiera de buscar un sitio abrigado en la finca. Maíta dice que tú estabas segura de que yo conseguiría sacarlo adelante. Ella también lo piensa. Es halagador que confiéis tanto en mí, pero resulta muy irritante que no contéis con uno para hacer lo que os da la gana, y sí para sacar las castañas del fuego...

Cómo se parece a ti esta chica. A veces la miro e, incluso físicamente, se me parece a ti; los gestos, la misma forma de hablar y de mirar, algunos rasgos... Me pregunto si lo que uno piensa puede salir en el hijo. En aquellos primeros años yo tenía tantas cosas en la cabeza... Y también he pensado, lo pensaba entonces y lo he pensado muchas veces, si tu hijo mayor... No sé. Dijeron que nació antes de tiempo. Pero también pienso que si fuera mío me lo habrías dicho. No entonces, pero alguna vez... O quizá no, una cosa así es mejor no decirla. Él no vino a traer la urna, sólo el pequeño, y ése se parece a su padre. El otro dice Maíta que es muy moreno. Me dijo que trabajaba de médico en Nueva York y que le iban muy bien las cosas; los médicos en Estados Unidos son muy respetados y los buenos ganan mucho dinero, dijo, y que el pequeño es un desastre para la vida práctica, como su padre. Tuve la impresión de que iba a decir algo más sobre el mayor. Dijo: es muy moreno, y me miró, y creo que iba a añadir algo, pero se cortó y empezó a hablar de la profesión... Es posible que ella también lo haya pensado.

No tenías que haberle dicho nada de lo nuestro. Ya sé que Maíta hace las preguntas muy directas, pero aun así. Tendrías que oírla ahora; con los años se ha vuelto más tajante aún, más radical, y es tan lista que es difícil escurrir el bulto cuando se empeña en algo. Pero, de todas formas, esas preguntas no hay que contestarlas, y si llega el caso hay que negar, porque decir la verdad no sirve más que para hacer sufrir y para levantar nuevas preguntas. Es mejor cortar, decir no, y se acabó.

A mí Isabel me preguntó un día, poco antes de casarnos. Me preguntó si me había acostado contigo. Nosotros nos acostábamos ya. Teníamos fecha para la boda y..., en fin, que nos acostábamos, y un día me preguntó si me había acostado contigo. Estoy seguro de que después habría preguntado con quién mejor y si me acordaba de ti, si te echaba de menos, etcétera, etcétera, así que le dije tajantemente que no. Y ella entonces me miró a los ojos y me dijo: «¿Lo juras?», y yo iba a jurarlo. Qué me importa a mí poner a Dios por testigo en una cosa así. Si Dios existe lo entenderá y si no existe qué importa todo. Pero ella me tapó la boca, primero con la mano y después con sus labios. Dijo: «No quiero que jures en falso». Y me besó, y volvimos a hacer el amor. Nunca más sacó el tema. Y yo nunca más hablé de eso con nadie.

Pero tú lo has ido contando a todo el mundo. No sé incluso si se lo contaste a Ramón de Castedo. Aunque es posible que él nos viese entrar en el hórreo aquella tarde. El cuadro lo pintó después de irte tú de aquí. Parece que del hórreo salen rayos, como en la custodia del Santísimo. Cuando empieza a caer el sol, la luz pasa a través de las tablas y se ve así, pero a mí el cuadro me recuerda aquella tarde, con las rayas del sol sobre tu cuerpo desnudo y sobre tu pelo. Después he visto mil veces el hórreo al atardecer, pero no es como el del cuadro, que parece que está ardiendo. Quizá nos vio entrar y quedarnos allí tanto tiempo y se imaginó lo que estaba pasando. Y por eso lo pintó de ese modo, como algo tan misterioso y resplandeciente, cuando no es más que un simple hórreo. O quizá se lo contaste tú, y cualquiera sabe lo que le dirías...

¿A cuánta gente le has contado tu vida? Menos a mí, se la contabas a cualquiera, incluso a una desconocida, que después fue y lo escribió para que todo el mundo pudiese leerlo. Lo contabas todo y a tu manera. Y a veces te equivocabas...

A la escritora le dijiste que yo no había estado nunca enamorado de Isabel, que me gustaba y que con el tiempo le cogí cariño, pero que no estaba enamorado. ¿De dónde has sacado tú eso, vamos a ver?... Yo por Isabel daría mi vida, ¿no te parece bastante?...

Ya sé: también se da la vida por un hijo o por una madre, y es una clase de amor diferente. Pero no es tan diferente. Tú piensas que amor es lo que tú sentías por Fernando, pero yo no sé qué clase de sentimiento es ese que tú sentías: para hacer el amor me preferías a mí, me lo dijiste, conmigo tuviste más placer. Y tampoco a él lo admirabas. Yo seré un simple aparejador que copia a los grandes maestros, pero él se saltaba notas en los conciertos, tú misma se lo hiciste notar.

Y él se molestó, y con razón, porque lo que uno espera de la persona que te quiere no es que te señale los defectos, que ya uno se los conoce de sobra. Fernando lo hacía lo mejor que podía y no sería tan malo cuando lo contrataban, pero a ti te habría gustado que fuese Rubistein, y que yo fuese Van der Rohe.

Tú decías que no es verdad que el amor sea ciego, que el amor ve los defectos, que uno se enamora a pesar de verlos, pero aspira a que el otro los supere, y consiga «el mejor tú». Maíta me ha traído esos versos, ¿sabes?, los que tú tantas veces decías:

> Perdóname por ir así buscándote
> tan torpemente, dentro
> de ti.
> Perdóname el dolor, alguna vez.
> Es que quiero sacar
> de ti tu mejor tú.

Eso es muy bonito, pero en la práctica, Laura, esa exigencia puede resultar intolerable. Yo sé que no soy el mejor arquitecto que podría llegar a ser, y que ni siquiera he hecho el esfuerzo de hacer la carrera cuando podía hacerla. Pero no me gusta que me lo recuerden continuamente. Si hay algo de Maíta que me crispe los nervios es eso. Ya no lo dice, pero se le nota en la cara que lo piensa: ¡qué gran arquitecto podrías haber sido! No me cago en sus muertos porque son los míos, pero me amarga el día cuando va a ver algo que yo he hecho y se le pone esa cara, que me doy cuenta de que está pensando en lo que yo podría hacer si hubiera ido a la Universidad y me hubiera dedicado sólo a mi carrera en lugar de cuidar a los viejos. Tengo la impresión de que nunca es suficiente para satisfacerla lo que hago. Y contigo, lo mismo. Y creo que a tu marido le debía de pasar algo así, por eso se buscaba alumnas que lo admirasen sin cortapisas.

Todos necesitamos admiración, aunque admitas y hasta agradezcas las críticas hechas con buena intención. La crítica puede ayudarte a mejorar, pero la admiración da ánimos y da mucho gusto. Me acuerdo de un día que estaba con Isabel hojeando un libro de arquitectura. Era de Alvar Aalto y había obras preciosas. Isabel lo miró conmigo y al final dijo: «A mí me gusta más lo que tú haces».

Puede que pienses que eso no es amor, que es ignorancia. Pero te equivocas, porque la ignorancia también podía impedir que le gustasen mis casas. No son como las que ella tenía costumbre de ver. A mucha gente no le gustan. Mis clientes son siempre gente de carrera o algún paisano que piensa que si los de la capital me hacen encargos por algo será. Pero a ella le gustaban porque estaba enamorada de mí...

Ya sé que tú no cuestionas que Isabel estuviese enamorada de mí, sino que yo estuviese enamorado de ella. Pues lo que quiero decirte es que lo mío por Isabel era amor, un amor hecho de gusto y de cariño día a día. Que, si de mí dependiese, hubiera repartido mi vida con ella, y lo que tuviésemos que vivir lo habríamos vivido juntos. Y te aseguro que ha dejado un hueco en mi vida que nadie puede llenar.

Poco después de irte tú, un día Benjamín me dijo: «La mujer a la que abrazas siempre puede más que la mujer con la que sueñas». Ramón de Castedo no estaba de acuerdo, decía que a veces uno prefiere los sueños. Pero yo no. Yo quiero la vida real. Yo quería vivir. Y viví con Isabel y la quise. Ella fue la mujer que yo he abrazado y que me ha dado hijos y muchos momentos de felicidad...

Pero, ya ves, al cementerio voy una vez por semana a cambiarle las flores. Y aquí vengo todos los días, a sentarme en este banco, bajo este magnolio, y a hablar contigo. La vida tiene cosas así...

Tú has sido siempre la mujer de mis sueños. Y ahora no tengo a nadie a quien abrazar. Por eso vengo aquí todos los días. Porque con ella nunca pude hablar como hablo contigo, y porque tú sigues siendo lo que fuiste siempre para mí. Por eso vengo...

Laura

Yo sabía que Paco sentía por mí un cariño especial, algo que yo no quería llamar amor, porque pensaba que amor era sólo lo mío por Fernando o lo tuyo por mamá; o sea, algo trágico. Y Paco no encajaba en la imagen de tragedia, él no era un romántico.

¿Te acuerdas de lo que decía Ramón de Castedo? Hay dos maneras de ir por la vida: como romántico o como clásico. El romántico, cuando pierde las ilusiones se desespera, se hace escéptico y ya no cree en nada. El clásico, por el contrario, al perder las ilusiones consigue la madurez y con ella la serenidad; acepta sus limitaciones y alcanza el aurea mediocritas, que es su manera de ser feliz. También decía que Paco sólo había tenido dos ilusiones: ser arquitecto y casarse conmigo, con la hija del maestro, con la nieta de los señores del Pazo, puntualizaba.

Yo siempre pensé que Paco era un clásico, pero quizá estaba equivocada...

7

Con franqueza, que el rival desdeñado hable del que se llevó a la chica no parece muy adecuado. Tenga en cuenta que yo lo que sé de esto son los chismes del pueblo, lo que se comentaba por aquí. Y lo que decían los amigos de don Marcial, que lo decían para consolarme, seguro. Nunca hablamos de eso directamente, ya sabe, el pudor de los hombres para hablar de sentimientos. Pero me hacían comentarios que, ahora me doy cuenta, iban encaminados a paliar mi frustración y mi tristeza, más evidentes de lo que yo pensaba entonces. Y todo lo demás son conjeturas mías.

Una cosa me gustaría que le quedase clara y es que Laura no me dejó por otro. Quiero decir que nunca fue mi novia. Nunca hubo entre nosotros una declaración explícita ni un compromiso. Yo no podía reprocharle nada porque nada me había prometido. En cierto modo, si alguien se podía considerar engañado o traicionado era él, Fernando, porque él era su novio, con él iba a casarse y a él sí le puso los cuernos conmigo.

Lo que yo le reprocho es que no me hablara de él. Fue su novia durante varios años antes de casarse. Debió de conocerlo al llegar al Conservatorio o poco después y no se casó hasta terminar la carrera. Y nunca me dijo nada. Venía aquí en el verano, más de un mes, y también por Navidad y Semana Santa. Y siempre venía sola. Al día siguiente de llegar venía a buscarme a casa, hablaba con mi madre y con mi padre mientras vivió. A mi padre lo saludaba y le preguntaba por la salud, nada más, pero con mi madre echaba sus parrafadas. Le preguntaba por la gente del pueblo, igual que a Nana. A Ramón de Castedo y a don Benjamín y don Gumersindo no los visitaba porque seguían reuniéndose con su padre y los veía en su casa. Pero a otras personas sí se acercaba ella a saludarlas, como a las hermanas de Castedo y gente así. Amigas de su edad no tenía. Sólo con Carmiña, que era de nuestra época de la escuela y que se hizo maestra, mantuvo cierta relación y a veces se las veía paseando juntas. Pero era siempre ella la que buscaba a la persona que quería ver. En parte porque se trataba de gente mayor y ella les hacía la visita, era una norma social, y en parte, como en el caso de

Carmiña o de otras chicas de su edad porque había cierta conciencia de superioridad social. Laura era la señorita del Pazo, seguía siéndolo, y todo el mundo se sentía muy satisfecho si se paraba a hablar con ellos, pero no se les ocurriría invitarla, ¿comprende? Y conmigo era también así. Llegaba y me preguntaba si podíamos vernos al día siguiente para ir a tal sitio o a tal otro, o, sencillamente, a dar una vuelta, y de un día quedábamos para otro. Y me preguntaba por las chicas y me tomaba el pelo: «Dice Nana que andas muy enamorado de tal o de cual», cosas así...

Yo farfullaba que no, que eran líos de Nana, o me hacía el misterioso. A veces, de unas vacaciones para otras preparaba lo que le iba a decir. Y siempre quedaba descontento. Si le decía que no, porque me daba rabia que pensase que era un párvulo sin experiencia. Y si me las daba de tener algo y callármelo, porque creía que eso daba pie a que ella también se callase.

Yo no le preguntaba. Por cortedad y por miedo a que me confirmase lo que sabía por Carmiña: que salía en Madrid con un músico, con un pianista. Ella no lo ocultó, no se lo ocultó a otros, pero a mí no me lo dijo, eludía el tema y yo no me atrevía a preguntarle. Sólo una vez lo rozó de pasada. Pero los dos sabíamos que el otro lo sabía, porque esas cosas vuelan. Todo el pueblo sabía que tenía novio en Madrid. Y era imposible que yo no lo supiese, así que en cierto modo ella no tenía que contármelo...

Yo tampoco le hablaba de Isabel, es cierto, pero no es comparable.

Mire, tengo la impresión de que usted está, como si dijésemos, a favor de Laura. Yo le digo que ella no me hablaba de Fernando y usted me pregunta si yo le hablaba de Isabel, como si fuese algo equivalente. Y no se puede comparar. Lo que había entre Isabel y yo no lo sabía nadie más que nosotros dos. Yo sabía que le gustaba porque esas cosas se notan si la otra persona quiere que se noten. Y ella sabía que me gustaba a mí, porque yo tampoco se lo disimulaba; pero ni yo se lo dije a nadie, ni creo que ella lo hiciese...

Puestos a pensar mal, puede pensar que al no conseguir a la señorita del Pazo me casé con la chica más rica del pueblo, porque a fin de cuentas eso fue lo que pasó.

Supongo que más de uno lo pensó. Seguro que no les hizo ninguna gracia, sobre todo a las familias que tenían más dinero. Isabel era una chica guapa, lista y seria. Y resultó que su padre tenía mucho dinero. Un mirlo blanco. Menos les hubiera molestado que me hubiera casado con Laura, en cierto modo. Laura no tenía dinero, con lo cual no resultaba apetecible para las tres o cuatro familias burguesas que sí lo tenían. Y por su situación social estaba por encima de las expectativas de la mayoría; no entraba en el cómputo de las chicas con las que alguien del pueblo se podía ennoviar. Se daba por supuesto que se casaría con alguien de fuera, sobre todo desde que se fue al Conservatorio. Lo de estudiar Música era una rareza, igual que lo de sacarme a bailar en las fiestas. Eso no lo hacían las chicas. Dentro de su rareza, entraba que se encaprichara conmigo, y, además, podía venirle de herencia. También su madre se había casado con un maestro; eran rarezas propias de los señores, ¿entiende? Ahora se ve de otra manera, las cosas en cincuenta años han cambiado tanto que cuesta entenderlo, pero entonces era así.

Isabel, por el contrario, era un buen partido para cualquiera. Sus padres eran campesinos con tierras y con ganado. Procedían de la montaña, de una aldea remota que en invierno quedaba cerrada por la nieve. Nadie al verlos diría que tenían dinero. De hecho, dinero no tenían. Tenían ganado, vacas en la montaña, y tierras al otro lado, en el que daba al mar. Imagínese cuando se empezó a edificar. Pero eso no se sabía cuando llegaron al pueblo. El padre era un hombre listo. Fue el primero que tuvo un tractor y quiso que Isabel estudiase. Pero a ella no le tiraba. Hizo el bachiller y después estuvo dos años en un colegio de monjas. Hizo la carrera de Comercio porque su padre se empeñó, quería que supiese llevar las cuentas de sus bienes, porque era hija única y a ella le iba a dejar todo lo que tenía, que no era poco.

Vivían en la aldea y el primer año la traía él todos los días a la escuela de don Marcial, a caballo, los días de invierno envuelta en una manta y con un gorro de lana de oveja en la cabeza. Me acuerdo muy bien. Era como una muñeca, tan pequeña y con unos ojos enormes, muy guapa desde niña, a pesar de aquel gorro. Me acuerdo del día en que llegó a la escuela. Su padre la bajó del caballo y esperó a don Marcial en la puerta. Ella traía una muñeca de cartón abrazada y estaba allí quieta mirando a los dos hombres con los ojos muy abiertos, sin atreverse a llorar pero asustadísima. Don Marcial le acarició la cabeza, le dijo unas frases cariñosas y la cogió de la mano para entrar con ella. Su padre hizo ademán de recoger la muñeca, pero don Marcial le dijo que no, que se la dejase. Y ésa es la imagen más clara que tengo de Isabel cuando era niña. Con el gorro de lana y con la muñeca abrazada. Muchos años después cuando la veía con los hijos o con los nietos en brazos me acordaba de entonces, porque los cogía igual, con un solo brazo, apoyados contra el pecho, o en la cadera. A mí siempre me ha dado miedo que se me caigan los niños y los llevo muy sujetos, pero Isabel los llevaba como si fuesen una parte de su cuerpo, con absoluta naturalidad, como a la muñeca aquella.

Al año siguiente el padre compró una casa en el pueblo y era la madre la que llevaba a Isabel a la escuela. Ella también aprendió a leer, la madre. Don Marcial iba a su casa a enseñarle y ellos le pagaron bien, según me contó Laura. Don Marcial daba clase a adultos, gratuitamente, cuando acababa con los niños, pero a la madre quizá le daba vergüenza ir a la escuela, era una mujer muy callada, y además podían permitirse que el maestro fuese a su casa. Con ese dinero don Marcial ayudaba a otras personas, ejercía una especie de justicia distributiva. En un año la madre y la hija cambiaron mucho, se refinaron. El padre siguió igual, pero la mujer dejó de usar zuecas y llevaba zapatos y buenos vestidos y a Isabel le quitaron el gorro de lana.

Cuando nos casamos ya se sabía que el padre de Isabel tenía tierras que valían mucho dinero, así que más de uno pensaría que yo me había buscado un buen partido. Pero la mayoría de la gente me veía con buenos ojos. Yo tenía fama de serio y de trabajador, y quien más quien menos, todos sabían que había aguantado a mi padre y había protegido y cuidado a mi madre desde niño, así que la gente me tenía simpatía. Y, además, empecé pronto a ganarme bien la vida, en eso tuve mucha suerte y a los pocos años de casado no necesitaba el dinero de Isabel para nada...

Al comienzo sí; las primeras casas las hice en unas tierras que eran de su familia. Después las vendí, a la gente que empezaba a volver al pueblo, y desde entonces ya todo vino rodado...

Sólo una vez Laura me habló de su novio. De pasada, como le dije, pero yo entendí que me estaba dando una explicación. Fue en una de aquellas ocasiones en que ella me preguntaba a mí. Yo había estado tonteando con una chica..., en fin, no era una chica, fue con una maestra que vino una temporada a sustituir a don Marcial, cuando lo operaron de cataratas. Era una mujer joven, pero mayor que yo, y sabía lo que quería, y... bueno, pues eso, que tuve que ver con ella. Y, naturalmente, se supo, porque en un pueblo pequeño las casas son de cristal y las paredes tienen oídos, ya sabe. Así que Laura me preguntó si estaba enamorado, si seguía viéndola, porque sabía que estaba de maestra no muy lejos de aquí. Y yo aproveché entonces la ocasión y le dije: «¿Y tú?». Y ella me dijo, me acuerdo muy bien, era al caer la tarde, sentados en unas piedras en el alto de Sancidrán. Se veía todo el valle y Laura dijo:

«Yo no sé aún qué hacer con mi vida»... Y miró hacia abajo, hacia el valle y hacia su casa: «No sé si quiero irme o si quiero quedarme aquí». Y volvió a decir: «No lo sé aún»...

Comprendí que no se trataba sólo de mí o de otro. No era un hombre contra otro hombre, sino una totalidad, algo que no podía separarse: una tierra, una manera de vivir. Lo entendí porque yo había elegido ya y no iba a cambiar, no podía cambiar, los dos lo sabíamos. Y ella tenía que hacer su elección.

Pensé que, si Laura se quedaba, se casaría conmigo y que, si se marchaba, no era porque estuviese enamorada de otro hombre, porque lo prefiriese a él, sino porque elegía una vida distinta. Si se iba, no me dejaba a mí; lo dejaba todo: su padre, su casa, esta tierra, esta forma de vivir. Sentí que me estaba dando una explicación y, a su manera, pidiéndome que le diese tiempo. Y también me di cuenta de que sería inútil forzar una decisión, porque era ella y sólo ella la que tenía que tomarla.

Por eso nunca he tenido celos de su marido, porque Laura no me dejó por él. Y hasta, si me permite esta pequeña vanidad, le diría que, hombre por hombre, Laura me prefería a mí...

Laura

No lo podíais entender. El único, mi padre: la pasión de los feos por la belleza, como dijo Benjamín. Y estaba en lo cierto.

Y no era sólo belleza, era una gracia especial, una fascinación, un hechizo, un don. Aún lo tiene, a pesar de los años; como un dibujo que se desvanece, pero en el que sigue adivinándose la línea que le dio forma; como el aroma que perdura cuando ya se han marchitado las rosas. Los niños también lo percibían. Cuando alguna vez, pocas, les dejaba estar en el estudio mientras ensayaba, se quedaban inmóviles, en el más absoluto silencio, mirándolo sin pestañear, presos de aquel hechizo que emanaba de él y que también llegaba al público.

No fue un antojo, ni un empecinamiento y después «a lo hecho, pecho»; no. Aún hoy me quedo muchas veces *mirándolo: su rostro sensible, las manos finas y largas, y el modo en que pone una sobre la otra para disimular el temblor, y pienso: «Qué importa el resto, qué me importa a mí todo lo demás»...*

8

No sé si celosa es la palabra adecuada. Las personas celosas suelen ser insoportables: son recelosas, desconfiadas, se dedican a vigilar a su pareja o a interrogarla sobre sus relaciones... Laura no era así. A mí me preguntaba con quién salía, si estaba enamorado, pero en cierto modo eso era lo normal después de estar meses sin vernos. Lo raro era que yo no le preguntara. Y seguramente yo sentía más celos que ella, quiero decir que a mí me molestaba su relación con Fernando más que a ella la mía con la maestra o con quien fuera. Pero eso que le dijo de que yo no estaba enamorado de Isabel es un ejemplo de lo que quiero decir. Laura no podía admitir que otra mujer fuese más importante para mí que ella, y por eso decidió que yo me casaba porque me gustaba tener una familia y porque Isabel tenía buen carácter y era guapa, pero que ella seguía siendo la mujer de quien yo estaba enamorado...

Tampoco era vanidad, ni egoísmo. Laura era generosa y nunca la vi presumir de nada, ni darse importancia. Yo creo que lo que le pasaba era que tenía una gran necesidad de sentirse querida o, más aún, de sentirse indispensable. Creo que eso, más que el amor, fue lo que la mantuvo al lado de su marido hasta que él murió...

Su padre la adoraba y todos sus amigos solterones lo mismo. Cariño no le faltó nunca, a pesar de criarse sin madre. Quizá fuese ésa la razón: no echaba de menos a su madre porque no sabía lo que era tenerla, pero notaba que le faltaba algo. Aunque yo pienso que don Marcial fue padre y madre para ella. La educaba, le explicaba cosas de la vida, era su maestro, pero al mismo tiempo tenía los gestos de ternura que sólo las madres tienen. Yo veo ahora a mis hijos y a mis yernos, cómo tratan a sus hijos, y me doy cuenta de que hacen cosas que yo no hacía. Era Isabel quien los acariciaba continuamente y hablaba con los niños de esa forma infantil que a mí no me sale. Yo los cogía en brazos, jugaba un rato con ellos y los besaba, pero, a pesar de todo, representaba la disciplina y la autoridad en la familia. Ahora eso ha cambiado.

Don Marcial se adelantó a su tiempo, era diferente. No creo que una madre pudiese darle más ternura que él. Yo lo he visto acariciar a Laura cuando era pequeña, y cuando ya no era tan pequeña, cogerle la cara entre sus manos y decirle «mi niña preciosa», «quién es la niña más preciosa del mundo», «por dónde andaba mi Laura guapísima»... ¿Comprende?, esas cosas que a mí me decía también mi madre, «eres el chico más listo y más guapo de toda España», me decía, «eres mi alegría», y poco antes de morir me dijo: «Me has dado toda la felicidad que he tenido en la vida»...

Sí, la relación con mi madre fue muy especial. Mi padre ya le he dicho que era muy ignorante y muy bruto, nunca pude entenderme con él ni hablar con él de nada que a mí me interesase. Y, si hubiese dependido de él, yo sería pastor o guarda forestal como él. No tenía más luces. Mi madre era otra cosa. Tenía una gran inteligencia natural y también era delicada por naturaleza. Además, por su trabajo, había aprendido buenos modales y sabía hablar y servir bien una mesa o un té, y sabía tratar educadamente a todo el mundo.

Fue doncella en casa de los Castedo. Ser doncella en una buena casa era un trabajo muy estimado, porque las chicas se refinaban y se pulían. Parecían señoritas. A algunos no les gustaban, decían que tenían muchos humos y que al fin no eran más que criadas. En cierto modo aquel trabajo era malo para ellas, porque se acostumbraban a vivir en casas de señores durante muchos años, desde los catorce que empezaban hasta los veintitantos o más en que se casaban, y después les costaba trabajo acostumbrarse a la dureza y a la falta de refinamiento de su vida de casadas. Aunque algunas se casaron bien, con hombres que tenían un empleo en la ciudad o un negocio, o con alguno que trabajaba para la misma casa, como un chófer o el administrador de alguna finca. Pero a la mayoría le pasaba como a mi madre, que se casaban con tipos acostumbrados a malvivir, ignorantes y groseros. Yo nunca entendí que mi madre se casase con mi padre. Supongo que se debió de quedar embarazada y por eso se casó, pero tampoco entiendo que se pusiese en situación de quedarse embarazada, a no ser que él la violase...

Nunca se me ocurriría preguntarle a mi madre sobre eso. Algunas chicas se quedaban embarazadas del señor de la casa o de un hijo, y normalmente les buscaban marido. Eso era bastante frecuente. Los Monterroso tienen hijos por toda la comarca y suelen sacar los ojos verdes de la familia, así que se les reconoce fácilmente: madre criada e hijo de ojos verdes; bastardo de los Monterroso, sin duda alguna. La familia de Castedo no era así. Ya le dije que el padre era juez y muy recto, muy riguroso; tenía fama de justo y de incorruptible: él juzgaba en conciencia y lo mismo a un rico que a un pobre. Su hijo mayor se fue de la casa con diecisiete años y murió en la guerra, como le dije. Y de Ramón de Castedo lo que se sabía era que había sido el pretendiente oficial de doña Inmaculada, la madre de Laura, y después no se le conoció novia.

Con mi madre yo tenía mucha confianza y hablábamos de muchas cosas, pero nunca de nada que tuviese relación con el sexo. Creo que se puede decir que era muy puritana o quizá había tenido algún tipo de trauma. A mí nunca se me ocurriría hablarle de eso, pero Maíta un día lo hizo, bromeando, supongo que en el fondo con ganas de enterarse, porque ésa siempre está dándole vueltas a las cosas; en fin, resulta que le dijo: «¿Abuela, tú tuviste algo que ver con Ramón de Castedo?».

Mi madre se puso muy crispada, creo que nunca la había visto así, tan tensa y tan enfadada. Le dijo que le estaba faltando al respeto, que quién era ella para hablarle de ese modo a su abuela, y la echó de su lado. Hacía poco tiempo aún que vivíamos en el Pazo y estaban dando una vuelta por la huerta, por esta misma. Mi madre ya estaba en la silla de ruedas y se podía mover muy poco por sí misma, pero no quiso que Maíta siguiese empujándola. Por eso me enteré.

Mi hija, después de disculparse, vino a llamarme para que yo fuese a recoger a la abuela y me explicó lo que había pasado. Maíta estaba desolada. Nunca la había visto yo tan pesarosa por algo que hubiera dicho o hecho; mi hija es de las de defenderla y no enmendarla si cree que tiene la razón. Pero entonces se la veía realmente pesarosa de haber molestado a la abuela. Yo no la reñí, más bien la consolé, sólo le dije que se diera cuenta de que la abuela era de una generación en la que las mujeres no hablaban de eso y que su educación había sido muy distinta a la suya. Pero Maíta dijo: «No creo que sea sólo eso; tiene que haber algo más. Se ha enfadado demasiado. Está ofendida. Como si a mí me dijesen que tú eres un ladrón, que le has robado a don Marcial, algo de este tipo, que yo no podría tolerar ni en broma».

Maíta estaba tan nerviosa que sin darse cuenta me estaba ofendiendo también a mí. Venía a decir que la compra del Pazo podía ser interpretada por alguien como un robo. Yo lo dejé pasar, porque me di cuenta de que no era su intención molestarme, pero muchas veces he pensado en aquello y he llegado a la conclusión de que, igual que yo salto si sospecho que se me acusa de haberme quedado con el Pazo y las tierras de Laura, también mi madre en algún momento debió de ser objeto de habladurías con respecto a Ramón de Castedo y por eso reaccionó de aquel modo.

Fui yo a recogerla a la huerta; no quise encargárselo a ninguna otra persona de la familia, por si ella quería desahogarse conmigo. Estaba muy tensa cuando llegué, disgustada, y yo diría que a la defensiva, pero yo no mencioné el asunto y ella tampoco. Empecé a hablarle de lo que se podía plantar al año siguiente en algunos rincones y enseguida se serenó y dimos un paseo por la huerta, planeando el mejor modo de sacarle partido a aquella tierra. Hubiera sido la ocasión para decir algo, si es que había algo que decir, pero mi madre no tenía ningún deseo de hacerlo, ni se quejó de Maíta, ni aludió siquiera a lo que había pasado. Era obvio que no quería hablar de ello y yo respeté su deseo...

Con Laura se llevaba regular. Creo que mi madre temía que yo sufriese por su culpa y, sin referirse directamente a ello, en varias ocasiones me contó lo que a ella le contaban de las andanzas de Laura por Madrid: que tenía novio, que pensaba quedarse en Madrid para siempre, que se iba a casar. La casaron veinte veces antes de que se casase realmente, y mi madre no perdía ocasión de informarme. Lo hacía para que yo no me hiciese ilusiones, estoy seguro. Por lo demás, Laura le gustaba, como a todo el mundo. Una chica joven que venía a hacerle la visita, que se quedaba un buen rato charlando con ella y que era tan educada, una verdadera señorita, y que hablase tan bien de mí, pues todo eso a mi madre le gustaba. Alguna vez, incluso, se le escapaba algún elogio. Recuerdo que una vez dijo: «Se le nota la buena casta». Pero en general no me hablaba nunca de Laura ni para bien ni para mal. Era su forma de mantenerla alejada de mí...

Lo que Laura sentía por mi madre no lo sé. En principio, simpatía mezclada de compasión, por verla casada con un hombre como mi padre y aguantando el tipo. Y, además, cuando Laura se enteró de que mi madre estaba dispuesta a irse a un asilo con tal de que yo siguiese estudiando, hizo causa común con ella. Pero en cuanto murió mi padre y yo empecé a trabajar, mi madre cambió. No podía admitir que yo no fuese lo mejor del mundo, y, en vez de pensar en que me hiciese arquitecto, se dedicó a cantar mis glorias. Laura, por el contrario, siempre mantuvo la postura de lamentar que no hiciese Arquitectura, igual que Maíta. Eso a mi madre le parecía mal.

Laura, por su parte, creía que mi madre con los años se había hecho egoísta y sólo quería tenerme cerca. No volvió a hablar del asunto con ella y, en cierto modo, dejó de mirarla con la simpatía con que antes la miraba. Mi madre era muy lista y se daba cuenta de lo que Laura pensaba, pero ella interpretaba que Laura me hacía de menos, que, como señorita que era, lo que no fuese una carrera universitaria le parecía despreciable. Se estableció una especie de rivalidad: si yo salía de aquí para trabajar fuera, significaba que Laura había podido más. Y quedarme aquí representaba el triunfo de mi madre.

Todo esto estaba relacionado con la actitud de Laura hacia su propio padre. Ella se había ido y tenía que justificar su postura: yo tenía que ser un fracasado para que su abandono tuviese sentido. Si, quedándose aquí, uno podía hacer un trabajo digno y que te gustase, realizarse como persona independiente, entonces se le hundían sus argumentos, ¿comprende? Laura necesitaba pensar que yo era un fracasado. Y mi madre no podía admitirlo de ningún modo...

No, yo no me he sentido nunca un fracasado. Sería estúpido si lo creyese. Y mi relación con mi madre me parece mejor que la de Laura con su padre. Yo cumplí con mis deberes de hijo y Laura no, eso no tiene más vuelta...

Comparándola con mi propia experiencia, he llegado a entender mejor la de Laura con su padre. A ver si consigo explicárselo. Verá: yo era lo más importante para mi madre, la persona que ella quería más y la que más le importaba;

cualquier cosa mía era importante para ella. Todo lo que a mí me pasaba le parecía fundamental en su vida. Y eso es algo que ata mucho. Por una parte te hace sentirte incómodo, tú no has pedido que te quieran así, convertirte en la razón de vivir de otra persona. Y a veces hasta te rebelas, porque sientes que limita tu vida, que no puedes vivir en función de otra persona, pensando siempre si aquello que haces la hará sufrir o si va a parecerle bien o mal. Pero, por otra parte, si te falta, sientes que estás solo, que a los demás en el fondo no les importa lo que a ti te suceda. O que sí les importa, pero menos. Ya no eres la persona más importante del mundo para alguien. Has dejado de serlo, y sientes el vacío. Ni la mujer ni los hijos son igual. Si yo me hubiese muerto, Isabel se habría entregado aún más a los hijos y hubiera sido feliz con ellos. Yo eso lo sentía, que para Isabel, con todo lo que me quería, los hijos eran más importantes. Estoy seguro de que si en una balanza pusieran la vida de un hijo y en otra la mía, Isabel hubiera escogido al hijo. A mí me parece bien que sea así. Ésa es la forma de querer de una madre. Y yo sabía que en la balanza del querer de mi madre yo pesaba más que nadie. Eso te une y te ata a esa persona: sentir que puedes hacerla feliz, absolutamente feliz; que su bienestar, su alegría, su felicidad dependen de ti. Te sientes responsable, y a veces cansado, pero te compensa. Yo recuerdo la mirada de mi madre cuando yo me acercaba a ella inesperadamente, o cuando le contaba algún proyecto que había salido bien, o le comentaba cualquier cosa agradable de mi vida: cómo le brillaban los ojos, qué sonrisa le iluminaba la cara. Y poco antes de morir me dijo: «Tú me has dado toda la felicidad que he tenido en la vida». Eso a mí me ha compensado de todo lo que he sacrificado por ella.

Laura eso no lo ha vivido, no lo ha sentido. Yo estoy seguro de que era lo más importante del mundo para don Marcial. Pero ella no lo sentía así. Un día me dijo: «Soy lo más importante de *este* mundo, pero sigue echando de menos a su mujer». Dijo «su mujer», no «mi madre». Creo que en esos momentos sentía celos de doña Inmaculada, del amor de don Marcial por su mujer, de aquel amor que seguía llenándole los ojos de tristeza. Porque don Marcial tenía los ojos tristes, eso es cierto. Y los tenía desde que murió su mujer. Laura me enseñó las fotos de la boda. Doña Inmaculada estaba muy guapa, menos que en el cuadro de Castedo, pero, de todas formas, guapa. Y don Marcial, don Marcial estaba resplandeciente. No era guapo, era muy joven y muy delgado, casi con cara de niño, pero resplandecía, desbordaba alegría y felicidad. Laura dijo, como si hablase para ella misma: «Nunca ha vuelto a sonreír así».

Creo que eso era lo que enturbiaba las relaciones con su padre, que sentía que no podía borrar la tristeza de sus ojos. Y siempre tuvo además la idea de que su madre se había muerto por su culpa. No valía de nada hacerle razonamientos: su madre se había muerto de fiebres puerperales, y si no la hubiese tenido a ella no se habría muerto. De ahí no la sacaba nadie.

Quizá eso influyó en su decisión de irse, porque sabía que en todo caso su padre seguiría echando de menos a su madre. Yo intenté razonar con ella. La última vez fue cuando vino a plantar el magnolio, cuando ya su padre había muerto. Le dije que los hombres somos distintos a las mujeres, que una mujer puede ser feliz volcándose en un hijo, viviendo la vida del hijo o de la hija. Pero los hombres echamos siempre en falta a la mujer que hemos querido. Los hijos llenan mucho, pero no el vacío de tu mujer. Yo le hablaba por mí, por mi experiencia. Isabel había muerto hacía ya tres años, y yo seguía echándola de menos, a pesar de los hijos.

No sé si Laura le contó que, desde que ella se casó, don Marcial había pasado el retrato de su mujer a su despacho, y cuando se sintió enfermo

104

lo puso en su dormitorio. Antes lo tenía en el salón, seguramente para que Laura tuviese presente la imagen de su madre. Yo creo, como ella, que esos cambios son significativos. Da la impresión de que don Marcial se refugió en el recuerdo de su mujer al faltarle su hija.

Laura me contó los últimos momentos de don Marcial. Era en el mes de mayo y en esos meses de primavera toda la huerta huele que es una bendición. Laura abrió la ventana del dormitorio para que su padre pudiese ver los árboles, respirar el aire fresco y sentir el olor de las flores del jardín. Le dijo: «Hace una mañana preciosa, papá».

Su padre repitió: «Preciosa». Y después cerró los ojos y ya no volvió a abrirlos.

Dice Laura que murió con una sonrisa en la cara, que parecía feliz y que no la había mirado a ella ni a la huerta. Lo que su padre miraba cuando murió era el retrato de su mujer.

Laura

Hasta el final, polvo enamorado.

Se lo dijiste a don Gumersindo, al amigo de siempre, que querías descansar al lado de mamá, y los ojos se te pusieron alegres.

Yo pensé que te encontrabas mejor y abrí la ventana para que disfrutaras de los rayos de sol y del olor de las rosas que se abrían. «Mira qué buen día hace», te dije como una boba. Y tú sonreíste: «Es un día maravilloso».

Yo tardé en darme cuenta de que era por ella. No tenías pena de morirte y de dejarme a mí aquí tan sola. Tú no creías en otra vida, no ibas a verme nunca más, era la despedida para siempre.

Y en ese instante supremo lo que te unía a ella fue más fuerte que lo que te unía a mí. Te fuiste contento, papá, porque al fin ibas a juntarte con tu mujer, porque en el nicho te esperaba ella: unos huesos y un poquito de polvo...

9

De ese hombre no me gusta hablar, espero que lo comprenda. Todo lo que yo diga puede parecer resentimiento. Yo soy, a los ojos de la gente, el desdeñado, a mí me dejó para irse con el novio de Madrid. Aunque, como le he dicho, yo no lo siento de este modo, la gente lo ve así, estoy seguro, y también estoy seguro de que piensan que Laura se habrá arrepentido mil veces de lo que hizo, pero ésta es otra cuestión. No me gustaría que usted pensase que son murmuraciones de pueblo o conjeturas de un fracasado, como diría mi hija Maíta...

Ya le he explicado que mi hija por una parte me cree un genio y por otra un fracasado; es decir, un genio que no llegó a desarrollarse porque las circunstancias y su propio carácter se lo han impedido. Maíta está convencida de que yo dejé marchar a Laura, no luché por ella, del mismo modo que no luché por mi carrera de arquitecto, por mi derecho a salir de aquí y hacer mi vida...

No me voy del tema, es que todas las cosas están relacionadas y unas tiran de las otras. Si no quisiera hablar, le diría: no quiero hablar de ese hombre, y punto. Lo que quiero que comprenda usted es que no lo hago con gusto porque inevitablemente diré cosas que no lo favorecen y él está muerto y usted no puede ir a verlo y preguntarle si tengo o no razón en lo que digo.

Tampoco puede hacerlo con Laura, pero con ella ha hablado antes que conmigo. Por eso está usted aquí ahora, porque quiere tener otro punto de vista. Y eso no va a poder hacerlo con Fernando...

En aclararle lo que ya he dicho no tengo inconveniente. Y lo primero es reconocer que, en lo de la pasión por la belleza, don Benjamín tenía razón. Laura tenía pasión por las cosas hermosas. Ya ve lo que hizo con el magnolio: lo escogió por bonito sin considerar las dificultades de esa variedad. Se podría decir que lo mismo hizo con su marido.

Ella le ha contado que se quedaba horas mirándolo mientras hacía ejercicios en el piano. Pues yo puedo decirle que lo mismo hacía con aquella lámina del san Juan de Boticcelli que descubrió a los trece años, y con mil cosas más... Laura podía quedarse horas viendo un nido, fascinada por el color de unos huevos o por la pelusa con que lo tapizan los pájaros. O por una flor. Se tumbaba boca abajo en el campo y metía la nariz en el cáliz de esas flores que nacen en lo alto de los montes, ¿las conoce? Son unas flores sin tallo, una especie de lirios de pequeño tamaño que brotan directamente del suelo y que se parecen a las flores del azafrán. Son venenosas, tienen veneno en los pistilos y no conviene tocarlas, sobre todo los niños, pero tienen un color malva claro muy bonito. Laura podía estar horas mirándolas. Igual que los nidos. Yo la arrancaba de allí porque me temía que, si la dejaba, acabaría metiendo el dedo. Cuando se toca un nido los pájaros lo notan. Sólo con que lo toques se dan cuenta y entonces lo abandonan y no empollan los huevos. Laura lo sabía de sobra, pero la tentación fue más fuerte que su voluntad y su amor a los animales y en una ocasión lo hizo... Aunque, a decir verdad, no fue que cediese a la tentación sino que decidió que quería hacerlo.

Era ya una chica, debía de andar por los quince años, y me dijo que llevaba «toda la vida» deseando hacerlo y que necesitaba saber cómo era de suave aquel plumón y qué se sentía al tener los huevos en la mano. Lo que me dijo fue: «Tú los has tocado. Tú alguna vez lo has hecho y sabes qué se siente. Yo también quiero saberlo».

Y, sin más, cogió los huevos con mucho cuidado y se los puso en la palma de la mano y empezó a acariciarlos. Se los acercaba a los labios, los tocaba con la punta de la lengua, se los pasaba de una a otra mano; estuvo un buen rato toqueteándolos. Después los dejó sobre la hierba y metió el dedo en el nido para sentir la suavidad del plumón. Metió el dedo, cerró los ojos, se le puso cara de arrobo y dijo: «Es maravilloso. Es lo más suave que he tocado nunca». Y me animó a que yo lo tocase, porque a fin de cuentas los pájaros ya no iban a empollarlos y lo mismo daba un dedo que un ciento, dijo, y yo podría disfrutar de aquella sensación inigualable...

Sí, parece una escena bíblica: Eva ofreciendo la manzana a Adán. La diferencia es que yo entonces no comí del fruto prohibido. Lo había hecho ya antes y sabía cómo era de suave un nido por dentro y cómo era la sensación de hacer rodar por la palma de la mano unos huevos de pájaro. Pero nunca disfruté de aquello como Laura, quizá porque cuando lo hice era más pequeño y no lo viví como un acto voluntario sino como una debilidad, una caída en la tentación de hacer algo que no debía hacerse. Quizá también porque yo no tenía la sensibilidad de Laura. Me gustaba tocarlos, pero el placer que me producía era menor que el sentimiento de culpa. Yo siempre me arrepentí, e incluso la primera vez intenté disimular mi falta, engañándome a mí mismo y pensando que quizá los pájaros habían abandonado el nido antes de que yo lo tocase. Laura no se arrepintió nunca. Para ella fue un acto de conocimiento, algo que enriqueció sus sentidos. Varias veces a lo largo de los años lo utilizó como medida de comparación. Por ejemplo, de la piel de chinchilla decía que era casi tan suave como un nido por dentro, y también lo decía de la piel de un recién nacido...

No sé por qué no lo toqué. Creo que me molestó que Laura lo hiciese sin mi permiso. Decidió malograr aquel nido que yo le había enseñado y ni siquiera pidió mi opinión. Supongo que también quise dármelas de digno e íntegro y no hacer lo que le había dicho que no debía hacerse. E incluso es posible que tratase de provocar su arrepentimiento o sus sentimientos de culpa. Creo que me molestaba verla tan satisfecha de hacer algo que yo no podía hacer sin sentirme culpable. No lo sé. Ha pasado demasiado tiempo, y lo que recuerdo es que Laura me preguntó si estaba seguro de que los pájaros abandonarían los huevos, y que, al responderle yo que absolutamente seguro, dijo: «Pues me lo llevo a casa». Y sin más vueltas desprendió el nido de las ramas y se lo llevó.

A don Marcial le dijo la verdad y él debió de repetirle lo que nos había dicho en varias ocasiones en la escuela, cuando algún niño maltrataba a los animales: que había que respetar la vida y que no se debe sacrificar a los animales a nuestro gusto o a nuestra curiosidad. En la escuela había chiquillos que jugaban a arrancarles las alas a las moscas o a meterles un pitillo encendido en la boca a los murciélagos, o a atarles las patas traseras a las ranas; entretenimientos de ese tipo. Lo de Laura era más refinado, pero en el fondo no era muy distinto. Los chicos no lo hacían por crueldad sino por divertirse, y Laura lo hizo porque le dio la real gana. Y, a pesar de lo que respetaba a su padre, en ese asunto no cambió de opinión. Pocos días después volvió a decirme: «Tenía que saber cómo era. Lo he hecho, y ya está»...

¿Lo del hórreo?... Pues, sí... Yo también lo he pensado alguna vez. Lo que pasó en el hórreo se parece en cierto modo a lo del nido... Pero ahora es usted la que cambia de tema. Yo le estaba hablando de la fascinación de Laura por la belleza, y lo que quería explicarle es que no era nada extraordinario lo de quedarse mirando a su marido durante horas mientras él tocaba el piano. A mí también me miraba así, y más de cerca incluso. Me miraba como a las flores de las que le hablé antes, las venenosas. A veces nos tumbábamos en el campo, para descansar en una excursión, o simplemente por gusto. A Laura le gustaba mucho tumbarse en la hierba. Yo me echaba boca arriba, pero ella prefería boca abajo, como si abrazase la tierra, y muchas veces se ponía no a mi lado sino en ángulo recto conmigo. Me decía que abriese los ojos y se ponía a mirarlos muy de cerca, igual que a las flores y con la misma atención y con la misma cara de complacencia...

Cuando estaba así no hablaba de nada importante, igual que cuando se ponía a mirar los nidos o las flores. Disfrutaba mirando y sólo hablaba de eso. A mí me decía que aquel día mis ojos eran más azules o más grises, los comparaba con el cielo, decía que cambiaban de color según estuviese despejado o nublado, cosas así... Y también decía que podría reconocer mis ojos entre todos los del mundo...

A mí me ponía nervioso. Siempre, siendo niños y cuando ya éramos mozos. Me sentía muy incómodo y procuraba no tumbarme boca arriba, pero a veces era inútil porque ella ponía su cara muy cerca de la mía y decía: «A ver de qué color tienes hoy los ojos»...

No, nunca se me ocurrió besarla. O, mejor dicho, se me ocurrió muchas veces, pero nunca lo hice. No creo que ella estuviese coqueteando conmigo. Eso era lo que me frenaba, que ella no me estaba provocando. Yo era ingenuo, pero no tanto. Cuando otras chicas coqueteaban conmigo yo las cogía al vuelo, incluso con Isabel, que era tímida y que lo hacía tan discretamente que creo que sólo yo sabía que le gustaba. Laura no coqueteaba, estoy seguro. Me hacía sentirme como un huevo de pájaro o como una flor silvestre, y al mismo tiempo me excitaba, así que no era una sensación agradable. Me moría de vergüenza sólo de imaginar que ella se diese cuenta de cómo me excitaba. Así que yo también me ponía boca abajo y sacaba algún tema de conversación que a ella le interesase. Y entonces Laura dejaba de mirarme los ojos y yo recuperaba el aliento...

En el hórreo no coqueteó tampoco. Sencillamente, me besó. Me estaba quitando del pelo unas hojas o unas hierbas, y sin más me echó los brazos al cuello y me besó. Y entonces todo saltó por los aires, como si estallase una traca... Pero no era de esto de lo que estábamos hablando... Usted dice que se quedaba mirando a su marido durante horas y yo intento explicarle que Laura también miraba así las flores y los nidos, o sea, que puede tratarse de lo que decía don Benjamín: fascinación por la belleza, es decir, que lo admiraba como a un objeto bello...

También puede ser un signo de amor, desde luego. Cuando quieres a alguien no te cansas de mirarlo, pero esa mirada no es de admiración por la belleza, es otra cosa. Yo no me cansaba de mirar a Laura, y sin embargo no se puede decir que Laura fuese guapa...

Isabel sí lo era, y muchas veces la he mirado con deseo, porque era una mujer apetecible, a la que cualquier hombre desearía. Pero fue más tarde, con el paso de los años, cuando empecé a mirarla con amor. La veía con un hijo o con un nieto en los brazos y me sentía feliz con sólo mirarla. Y cuando se murió, tan desmejorada, tan demacrada que estaba, todo el tiempo me parecía poco para estar a su lado...

El marido de Laura no estaba enfermo, estaba neurótico. Era un hombre raro, no quería tener hijos, había tenido un amante italiano durante años, y después de casado se enredó en veinte historias con jovencitas. Era muy débil. No tenía ninguna enfermedad, pero padecía crisis de angustia durante las cuales, al parecer, sufría horriblemente y pensaba en suicidarse. Laura era la única persona que sabía tranquilizarlo. Por eso le dije que con él Laura se sentía indispensable. Él volvía siempre a ella, a pesar de sus múltiples infidelidades; la necesitaba. Y eso fue lo que llenó la vida de Laura. Lo que le hubiera gustado ser para su padre, y también para mí: la persona imprescindible en la vida del otro, la que le proporciona seguridad y felicidad. Eso llena mucho, yo lo sé por mi madre. Laura se entregó a esa tarea como las monjas se entregan a Dios o un fanático a una idea. Ese sacrificio llenó su vida, pero no la hizo feliz. Entre otras cosas porque al final a él no le bastaba con Laura; tenía una amiga joven, que debía de ser una segunda versión de Laura, pero con veinticinco años menos.

Ésa es otra de las cosas que nunca pude entender. Laura decía, a usted misma se lo dijo, que a esa chica la veía como un cirineo, alguien que la ayudaba a que Fernando viviera contento. Con ese razonamiento también le podía haber puesto un harén.

Lo mantuvo desde que a él lo echaron del Conservatorio. Lo que ganaba con los conciertos no le daba para vivir; no era un buen pianista, aunque a las señoras les gustase verlo tocar. Así que ella lo mantuvo y pagó sus caprichos, con su trabajo y con el dinero que sacó de la venta del Pazo...

Pues no, yo no creo que lo hiciese por amor, ni siquiera por una pasión carnal. Eso me lo dejó bien claro, que conmigo mucho mejor. ¿No se lo dijo a usted también?...

Pues si es así, no sé por qué insiste en decir que Laura estaba enamorada de su marido. ¿Qué significa estar enamorada?, ¿qué quiere decir? Laura no era feliz, ni siquiera era una mujer satisfecha...

Eso se nota. Es difícil de explicar, pero es un aire, una especie de serenidad, una impresión de plenitud que emana de algunas mujeres. No lo sé explicar mejor, pero cualquier hombre nota eso en una mujer. Y Laura no tenía ese aspecto. Y además me lo dijo...

Sí, me lo dijo dos veces, una antes de casarse: que don Gumersindo e incluso don Benjamín y Ramón de Castedo creían que era una cuestión de cama y que se equivocaban; que en eso, mejor conmigo. Y me lo volvió a decir muchos años después, cuando vino a plantar el magnolio...

¡Por Dios! No soy tonto. Ya sé que podía preferirme a mí en ese aspecto y disfrutar también con su marido. Me refería a otra cosa, pero si Laura no le habló de eso yo tampoco voy a hacerlo...

¡Ah!... ¿Y se lo dijo Laura o es una conjetura suya?...

Pues se ve que los dos hemos llegado a la misma conclusión, aunque por caminos diferentes: el fallo era de él.

Cuando vino a plantar el magnolio estaba deprimida y con poca salud, pero yo creo que eso era consecuencia y no causa. Él era raro, eso es seguro. Ya le he contado lo del amigo italiano... En fin, no me gusta hablar de esto, no tenía que haber empezado. No está bien...

No, yo no creo que lo fuese... O por lo menos le daba a pelo y pluma. Tuvo muchas aventuras con mujeres, con chicas jóvenes, así que eso no sería el problema. Y también debo decir que quizá Laura lo empujase a esas aventuras...

Él era un hombre inseguro y Laura se dedicaba a decirle que se saltaba notas en los conciertos. Debía de necesitar la admiración de alumnas jóvenes que no notasen sus deficiencias y que lo alabasen sin críticas. Laura podía ser muy dura en ese aspecto, era muy exigente, pedía siempre a todo el mundo lo máximo que podía dar intelectualmente. Igual que Maíta. Lo hacen de una forma muy sutil, parece que te alaban y en realidad te están exigiendo que te superes, que seas aún mejor, porque eres tan estupendo que puedes hacer mucho más, ¿me entiende? Eso agota a cualquiera y a la larga es insoportable...

Él no la dejaba porque la necesitaba. Laura era fuerte y él débil. Podía engañarla, pero no irse. Y esa necesidad era lo que a Laura la compensaba de sus deficiencias. Se sentía indispensable. Y no olvide que Fernando era sólo una parte de una elección más amplia...

Laura nunca quiso rectificar, eso es cierto. Cuando yo me quedé viudo tuvo ocasión de hacerlo, pero era ya demasiado tarde...

Para mí, no. Era tarde para ella. Yo le pedí lo que no le había pedido cuando se fue la primera vez. Le pedí que se quedase, y ella me contestó que seguía vigente lo que entonces la había decidido a marcharse...

Eso es lo que estoy intentando explicarle: que no lo hizo por amor. Le repito que Laura desde el primer momento no escogió entre dos hombres sino entre dos mundos. Y Fernando seguía estando en el mundo en el que ella había decidido vivir, en cierto modo lo encarnaba, como yo encarno éste...

Comprendo que a usted le parezca como el cuento de la zorra y las uvas, una forma de consolarme, e incluso que piense que ella me dijo aquello para hacer menos dura su segunda partida. Pero yo conozco bien a Laura y sé que sentía lo que me dijo...

Se lo puedo repetir exactamente, palabra por palabra. Y mil años que viviese, mil años que seguiría recordándolas una por una. Me dijo: «Quizá no estoy enamorada, sino empeñada en creerlo. Quizá lo que tengo es miedo a reconocer que me equivoqué, que todo fue un error inmenso. Pero ¿cómo le vas a decir a una monja enclaustrada que no hay vida eterna?»...

10

Esa señora quiere que le hable de los muertos, Laura. Me preguntó si era creyente, porque me vio encendiéndole las velas al Santo Cristo del Camino. Y yo le expliqué que el Cristo va con el Pazo, y quien vive en el Pazo se encarga de cuidar del santo, de ponerle luz, de limpiarle las hierbas y de adornarlo el día del Corpus Christi. Que mientras vivió tu padre lo había hecho él, o tú cuando venías por aquí, y que tu padre no pisaba la iglesia, y tú más o menos. Ella me dijo que tú creías en otra vida, en alguna forma de supervivencia tras la muerte y que le habías dicho que yo también...

A esta señora le has hablado de todo, Laura, y a mí me pones en un compromiso, porque, con eso de que tú le has dicho tal y cual, a mí me tira de la lengua y me hace contarle cosas de las que yo no pensaba hablar con nadie más que contigo. Esto de la otra vida es algo muy íntimo y además se presta a malentendidos porque, como decía don Gumersindo, una cosa son los agnósticos como Ramón de Castedo, otra los ateos convencidos como el padre de don Benjamín, otra los del «por si acaso», que son los que van a misa y a las procesiones para que los vean y por si acaso resulta que lo que dice el cura es cierto, y todavía quedan los que van para no disgustar a la familia, que algunos hay. Y ahí estoy yo, y eso es muy difícil explicárselo a alguien que no te conoce, decirle que vas a la iglesia para no disgustar a tu mujer.

A mí, Isabel me decía: «Anda, ven conmigo, qué trabajo te cuesta, no es más que media hora y es bueno que los niños te vean...». Cosas así. Y yo pensaba que, en efecto, para los niños era bueno que tuvieran el freno de la religión, ya tendrían tiempo de mayores de decidir por su cuenta lo que querían hacer, y que si yo no iba nunca a la iglesia, los estaba empujando a que no creyesen en nada.

Tu padre no iba, pero a ti te bautizó, y cuando hiciste la primera comunión fue contigo y estuvo allí aunque él no comulgó. Y quiso que lo enterraran en el cementerio de la iglesia, al lado de tu madre. Lo normal. Así que yo hice lo mismo, y un poco más, porque Isabel me lo pedía.

Creo que, si doña Inmaculada viviera, tu padre también iría a misa por complacerla, igual que Ramón de Castedo iba a los funerales con sus hermanas, y en casa de don Benjamín mientras vivió su madre se ponía un belén todas las Navidades. Y eso que el padre era un ateo recalcitrante que nunca consintió en pisar la iglesia. Ahí fue la madre la que al fin cedió, ¿te acuerdas? Pidió que la enterraran en el cementerio civil, porque quería estar con su marido y con su hijo cuando le llegara la hora. Y le dijo a don Gumersindo: «Dios lo entenderá».

Es que una cosa es la religión y otra son los muertos y lo que hay después de la muerte. Y una cosa es lo que piensas y otra lo que sientes. Y lo que dices y lo que haces. Yo le dije a la escritora que era agnóstico, porque desde que se lo oí hace tantos años a Castedo me pareció lo más acertado: no se puede saber, así que no te pronuncias, puede ser y puede no ser; nadie ha vuelto para contarlo, de modo que no hay por qué decir sí o no. Pero si me aprietan, yo me inclino a pensar que aquí se acaba todo, que puede haber formas de vida después de la muerte, pero no vida consciente; que pasaremos a ser parte de la energía del universo, muy bien, pero yo no voy a enterarme y eso es lo que me importa. No me pongo enfermo de angustia como tu marido, ni me dan temblores ni tengo que dormir con la luz encendida..., pero no me gusta pensarlo. Sobre todo no me gusta pensar que no volveré a ver a las personas que quiero y a las que sigo queriendo aunque hayan muerto. Por eso procuro aprovechar la vida mientras dura, y me desazona y me arrepiento de no haber disfrutado más de lo que ya la muerte ha hecho imposible, y hago esfuerzos para que no vuelva a ocurrir. Procuro estar más tiempo con los hijos, y con Maíta todo el que ella puede, porque ya no me queda mucho y pienso que no la volveré a ver. Lo pienso, pero resulta que al menos una vez por semana me voy al cementerio a ponerle flores a Isabel, y a tu padre, y a echar una parrafada con ellos. Y contigo, ¡qué voy a decirte! Una cosa es lo que se piensa y otra la que te sale del corazón.

Todo esto no es fácil de explicar. Y además a la escritora no se lo puedo contar porque tendría que decirle que estás aquí y no quiero que nadie lo sepa. Tanto a tu hijo como a Maíta les hice prometer que nunca dirían nada sobre este asunto. No quiero que este árbol y estos muros se conviertan en tu mausoleo, ya sólo me faltaba eso. Como si fueses Nefertiti. Ya está bien de caprichos. Y basta, que no es de esto de lo que estaba hablando. A veces me haces sentirme como un viejo chocho, que se le va la hebra.

Te estaba diciendo lo absurdo que es estar convencido de que todo se acaba con la muerte e ir a poner flores o a hacer visitas a los muertos. Yo no lo hago para que me vean y digan «qué buen marido, después de tantos años sigue yendo al cementerio», o «qué agradecido, que va a ponerle flores a su maestro»..., que, por cierto, no soy el único ni mucho menos. Yo le pongo mi ramo, pero siempre me encuentro flores frescas. La gente se sigue acordando de él y agradeciéndole lo que hizo por ellos. El otro día me encontré a la hija del Carabuio, que venía de dejarle un ramo de margaritas y me dijo: «Mientras yo viva no le han de faltar, que también él le escribió a mi padre a la cárcel a diario, y gracias a aquellas cartas mi padre aguantó y salió con vida de allí».

Tu padre hacía cosas así. Consiguió que todos los días el Carabuio recibiera una carta. Les enseñó a escribir a la mujer y a la hija y les pagaba el correo, y se fue a hablar con el director de la cárcel para que se las dieran cada día. Llevaba recomendaciones de Ramón de Castedo y de don Gumersindo, pero, en aquellos tiempos, que un maestro republicano se interesase por un comunista que había estado condenado a muerte era peligroso, por muy recomendado que fuese y por mucho que pesase el vivir en el Pazo. Era un riesgo que muy pocos estarían dispuestos a correr. Sobre todo por alguien tan exaltado como el Carabuio.

A la hija ni la bautizó. Libertad le puso en el Registro y Libertad la han seguido llamando. Siguió los pasos de su padre y si se cae la iglesia no la cogerá debajo, pero, ya ves, va a ponerle flores al viejo maestro. Y yo lo mismo. Y tantos otros. Eso quiere decir algo: que en el fondo hay una esperanza, que no queremos desaparecer, que nos resistimos a creer que no vamos a ver nunca más a nuestra madre, a nuestros hijos, a la mujer que hemos querido tanto...

Así que una cosa es lo que piensas y otra lo que sientes; y una lo que dices y otra lo que haces. Yo le dije a la escritora que soy agnóstico y que no soy practicante, pero que iba a la iglesia por complacer a mi mujer y por no dar un mal ejemplo a mis hijos, por no imponerles desde niños una conducta que la mayoría de la sociedad en la que viven considera negativa. Y ella me dijo que si las visitas al cementerio eran también para darles buen ejemplo...

A veces es un poco impertinente, o indiscreta, pero creo que no lo hace con mala intención. Lo que le pasa es que quiere entender cosas que no se entienden, y por eso pregunta tanto.

Yo le dije que lo hacía por el recuerdo, porque nuestros muertos siguen vivos mientras los recordamos, mientras los hacemos participar de nuestra vida. Sólo se mueren por completo cuando ya nadie los recuerda. Su forma de vivir, o, mejor dicho, de sobrevivir, es el recuerdo. El recuerdo es muy importante. Por dejar un buen recuerdo se hacen muchas cosas en esta vida. A nadie le gusta pensar que se van a olvidar de ti en cuanto cierres los ojos: queremos dejar un recuerdo. Y los que estamos aquí, mientras recordamos a los muertos, mantenemos viva nuestra relación con ellos. Yo me acuerdo de lo que tu padre me decía sobre muchas cosas, y es como si lo tuviera aquí para aconsejarme. Y también de lo que Isabel me decía de los hijos, que me ha ayudado muchas veces a no meter la pata con ellos. Y me acuerdo de lo que tú me decías...

A la escritora le conté algo que no sé si te va a gustar. Le hablé de aquellos versos que decía tu padre, y que a ti no te gustaban. No sé por qué no te gustaban. Que eran altisonantes, me parece que decías... Yo creo que era por celos, Laura. Los versos son preciosos, pero a ti te molestaba que tu padre se acordase tanto de tu madre.

Tenías celos, y se comprende, porque tú a ella no la conociste y era como si otra mujer te quitase el cariño de tu padre. Pero los versos dicen una gran verdad. Lo comenté un día con Maíta, y ella le preguntó de quién eran a ese amigo con el que vive, el profesor de Literatura. Él le dijo que eran del poeta español más famoso del siglo XIX; tu padre siempre nos enseñaba cosas buenas. La escritora también los conocía y se sorprendió de oírmelos. Yo le dije que los sabía desde niño de memoria y le expliqué lo de tu padre... La verdad es que de memoria no los sabía. Me acordaba de que decían que ella era un «blanco lucero» y que, mientras él viviese, siempre seguiría brillando, y eso fue lo que Maíta apuntó. Y no hizo falta más, enseguida el profesor los reconoció y me mandaron el libro en el que estaban aquellos versos de tu padre. Y de tanto releerlos ahora sí que me los sé de memoria:

¡Ay!, de tu luz en tanto yo viviere
quedará un rayo en mí, blanco lucero,
que iluminaste con tu luz querida
la dorada mañana de mi vida.

Lo que dicen estos versos es verdad, Laura, una gran verdad, aunque a ti te duela reconocerlo. Hay personas a las que no puedes olvidar nunca porque están unidas a los mejor de tu vida, a los momentos más felices. Tu madre llenó de luz la juventud de tu padre y siguió viva en él hasta el final, hasta esa sonrisa que tú viste en sus labios al morir.

Y porque eso es verdad, es por lo que pasan estas cosas que no se pueden explicar ni entender: yo digo que no creo en otra vida y no estoy mintiendo. Mi cabeza me dice que todo se acaba con la muerte. Pero después, con el corazón, me vengo aquí, a estar contigo, a hablar, a sentarme junto a ti, como tantas veces en el pasado, como siempre me gustó estar: a tu lado, Laura...

Laura

Aquella tarde hicimos el amor tres veces y cada vez mejor. Fue algo parecido a cuando tienes mucha hambre y con los primeros bocados te precipitas, casi ni los saboreas, aunque sí sientes el placer de saciar un deseo acuciante, casi doloroso por su intensidad. Y después viene un disfrute más sereno, más consciente del propio placer, un descubrimiento de los matices, un paladear despacio, sin prisas, los manjares preferidos.

Acabamos totalmente desnudos, con la ropa perdida entre las manzanas, los albaricoques y las mazorcas de maíz, placenteramente hartos y cansados; satisfechos.

Pero aquello no varió mis planes, y Paco lo sabía.

Caía ya el sol y estábamos casi a oscuras. Dijo: «Te vas mañana».

No era una pregunta, era la confirmación de algo ya sabido. Le dije que sí con pena y con vergüenza, como quien acaba de recibir un regalo maravilloso y no tiene nada con que corresponder.

11

De mi padre tampoco me gusta hablar...

Tiene razón; hay demasiadas cosas de las que no me gusta hablar. Pero yo a mi padre le deseé muchas veces la muerte, así que comprenderá que me moleste hablar de ello. A nadie le gusta recordar las cosas malas que ha hecho en la vida...

No, no me pegaba, eso es lo malo, ni a mi madre tampoco. Si lo hiciese me sentiría más justificado. Le deseaba la muerte porque me amargaba la vida y a mi madre también. No nos maltrataba físicamente, pero convivir con él era un suplicio. A su lado era imposible ser feliz, disfrutar de lo poco que teníamos. Tenía un carácter odioso. Sólo veía la parte mala de todo, personas y cosas. Para él todos eran ladrones, de hecho o en potencia. Desconfiaba de todo el mundo. Era incapaz de hacer un favor y también de recibirlo; en todo veía segundas intenciones.

No recuerdo nunca un gesto suyo de cariño, una caricia, ni a mí ni a mi madre. Pero a veces pienso que quizá no era sólo culpa suya...

Pienso que nosotros, mi madre y yo, éramos en parte responsables de su mal carácter. Tenía que notar que no lo queríamos; nadie lo quería. Era guarda forestal y los furtivos lo odiaban porque él los denunciaba continuamente. No le importaba si a un padre de familia lo metían en la cárcel por su denuncia. Otros guardias de otros sitios hacían la vista gorda, pero él no. No tenía sentimientos. Y no tenía amigos. Se acercaba a tomar un vaso a la taberna y no podía hablar con nadie. Algunos hasta se iban cuando él aparecía, o dejaban de hablar, pero a él le daba lo mismo, o al menos no hacía nada para congraciarse con los vecinos. Sólo se quedaba allí un rato si estaban los guardias civiles o los municipales, pero ni siquiera entre ellos tenía amigos. Se juntaban para no sentirse solos, supongo, pero no eran amigos. Nada, ni remotamente, parecido a la tertulia de don Marcial o a los paisanos que se reunían a echar una partida en el bar o en la taberna. Él estaba siempre solo, dando vueltas por los bosques, persiguiendo obsesivamente a quienes cazaban o pescaban en vedado. Le gustaba hacerlo. Se alegraba cuando cogía a alguien sin licencia o en los cotos.

En casa también estaba solo. Supongo que durante algún tiempo mi madre intentó civilizarlo, pero al fin lo dejó por imposible. Ella, ya le dije, había sido doncella en casa de los Castedo y estaba acostumbrada a vivir con cierto refinamiento. Era muy limpia, muy ordenada, le gustaba poner flores aunque fuese en un vaso. Y él era todo lo contrario: por más que ella le lavaba la ropa y le limpiaba las botas, tenía siempre un aspecto sucio, desaliñado, zafio. Se afeitaba y se cortaba el pelo de Pascuas a Ramos y no se lavaba. Olía siempre a sudor o a estiércol. Iba a la cuadra a echar de comer a los animales o a echar abono en una huerta pequeña que teníamos y se sentaba a la mesa sin lavarse. Y si le decía algo le contestaba mal: «Que se laven tus señoritos», decía con frecuencia, y, si ella o yo insistíamos, se ponía a jurar y blasfemar como una bestia, o tiraba al suelo algo que ella estimaba: un florero que había comprado en la feria o un frutero que Laura le había regalado, o estrellaba el vaso de vino contra un cuadrito que ella había bordado. Ésas son escenas que recuerdo: mi padre como un energúmeno y mi madre en silencio con la boca apretada en un gesto de amargura y de resignación. Y yo deseando que desapareciera de nuestras vidas...

Al comienzo era un deseo vago, sin una formulación precisa. Cuando era niño cerraba los ojos y me ponía a pensar en lo que deseaba que sucediera: por ejemplo, si me mandaban a coger bellotas para los cerdos o a cortar hierba, decía para mí mismo: «Que venga Laura, que venga Laura». Y a veces Laura aparecía y yo creía que la había hecho venir con mi pensamiento, aunque la mayoría de las veces no sucediera. Y eso mismo hacía con mi padre. Muchas noches cuando estaba en la cama y mi madre entraba a darme un beso y él farfullaba que me iba a hacer un mariquita, yo cerraba los ojos y pensaba con todas mis fuerzas: «Que se vaya, que se vaya para siempre, que no vuelva nunca»... Fue después, al crecer, a los catorce o quince años cuando empecé a desearle la muerte: que se le disparase la escopeta, que se cayese por un barranco...

No sé lo que sentía mi madre. Nunca hablamos de eso, igual que no hablamos de otras cosas. Yo nunca se lo dije a ella. Siempre he sentido que era demasiado horrible para decírselo o para que ella me lo dijese a mí. Porque él era un hombre desagradable, pero no nos maltrataba y nos mantenía con su trabajo. Así que, en cierto modo, yo me sentía un mal hijo, un desagradecido, y además aquello era un pecado mortal; yo entonces me confesaba y comulgaba y el cura decía que había que honrar al padre y a la madre y me ponía de penitencia una ristra de padrenuestros...

No era don Gumersindo. Como a él lo conocía de verlo por la casa de Laura me daba vergüenza confesarme con él y lo hacía con otros. Sólo una vez me confesé con él; y lo hice cuando ya había dejado de confesarme. Yo iba con mi madre a misa los domingos, la acompañaba y nada más. Pero aquella vez necesitaba hablar con un cura que no se limitase a decirme lo de honrar al padre y a la madre, y por eso fui a hablar con don Gumersindo. Estaba en el confesionario y yo me acerqué y casi de un modo mecánico dije las palabras de la confesión.

Tenía ya diecisiete años. Fue cuando decidí quedarme aquí y no ir a la Universidad. Creo que si no le hubiera deseado tantas veces la muerte a mi padre quizá me hubiera ido, pero en cierto modo me sentía culpable de su enfermedad. Sabía que los deseos no matan, ni tampoco hacen aparecer a la persona que quieres ver, pero, igual que pensaba que era capaz de atraer a Laura con mi pensamiento, en el fondo de mí creía que mis deseos habían provocado el tumor de mi padre. Don Gumersindo me dijo que uno no es responsable de sus deseos, pero sí de complacerse en ellos. Y que aquello no debía influir en mi decisión. Que él pensaba que a la larga sería mejor para todos que me fuera, que mi padre se iba a morir de todos modos y que con una carrera yo podría cuidar mejor de mi madre. Me dijo: «No te castigues a ti mismo por algo de lo que no tienes la culpa». Y también dijo: «No se puede querer por obligación. Y querer a tu padre es difícil. Fue un gran error casar a tu madre con ese hombre»...

Sí, me dijo «casar a tu madre». Y no dijo más. Nadie dice nunca nada más sobre ese tema, ya se lo he dicho. Y yo tampoco puedo decirle más...

No, con Laura tampoco hablaba de eso. Me avergonzaría de ello. Sólo a veces se me escapaba decir que era una bestia, y Laura dijo una vez: «Cómo pudo casarse tu madre con él»... Y enseguida cambió de conversación y hasta se puso tensa, como si hubiera metido la pata, como si hubiera dicho algo de lo que no debía hablar...

Le estaba diciendo que don Gumersindo quiso liberarme de mi sentimiento de culpa, pero yo seguí sintiéndome culpable, porque a medida que me hacía mayor, y sobre todo cuando mi padre enfermó, empecé a pensar que quizá él sufría también con nosotros, con mi madre y conmigo. Debía de sentir nuestro despego, la falta de entendimiento con él, el desinterés o el desacuerdo con lo que él hacía, con sus denuncias, con su persecución implacable de los furtivos. Y él respondía con su cerrazón y su malhumor. Pero no pasaba de ahí.

Yo conocía a hombres que pegaban a sus mujeres y a sus hijos, algunos de los niños de la escuela llegaban allí señalados por los correazos de sus padres. Y él nunca nos pegó. Sólo una vez zarandeó a mi madre y la llamó señoritinga de mierda. Pero sólo una vez... Lo que hacía era quedarse toda la tarde de los domingos tumbado, y cuando ya mi madre, harta de estar en casa sin salir, le decía que se levantase, que tenía que ventilar la habitación, él armaba la bronca y era inútil hablarle para intentar arreglar la situación. Yo intentaba comentarle cualquier cosa, de los animales o del bosque, algún nido que había visto, o una culebra, o algo de la escuela, lo que fuese, yo lo hacía por mi madre, para que a él se le pasase el cabreo y saliese con ella a pasear como hacía todo el mundo los domingos. Pero él me contestaba siempre de malos modos, «me importa un carajo lo que has visto y me importa un carajo todo lo que haces», decía. Y yo sentía que era cierto, que no se interesaba por nada de lo que a mi madre y a mí nos interesaba y que estaba en desacuerdo con lo que hacíamos, igual que nosotros con él, y que si no fuese por don Marcial y por Ramón de Castedo yo estaría trabajando en la cantera. Y entonces volvía a desear que desapareciera de mi vida, de nuestras vidas...

Yo me quedé aquí y renuncié a la Universidad por mi madre, pero en parte también por él, porque me sentía culpable de su enfermedad. O mejor dicho, no tanto de su enfermedad, que racionalmente entendía que no dependía de mis deseos, sino culpable de haberle deseado la muerte, cuando veía que en efecto iba a morirse. La cercanía de su desaparición me hacía avergonzarme de haber deseado que muriese. Pero no fue eso lo que me decidió a quedarme. La enfermedad en los primeros tiempos le agrió aún más el carácter, y yo sabía que, si me iba, mi madre iba a sufrir mucho con él. A mi madre le empezaba entonces la artrosis y ella sola no podría ocuparse de todo. Ella me dijo que se iría con gusto al asilo con tal de que yo me hiciese arquitecto. Creo que estaba dispuesta a morirse para no ser un estorbo en mi carrera y en mi vida. Mi padre me dijo: «Haz lo que te salga de los huevos». Era su forma de hacerme saber que no iba a agradecerme que me quedase, porque sabía que no lo hacía por él. Le habían hablado don Marcial y Castedo y también don Gumersindo, y un rasgo de su carácter que yo detestaba era el de ser déspota con los que estaban por debajo de él y servil con los señores. Servil, pero rencoroso. No se atrevía a enfrentarse a ellos pero les hacía todo el daño que podía. A la finca del

Pazo dejó que la invadieran los conejos, no les ponía el veneno como debía. Y me tocó a mí años después luchar con aquella plaga: tenían la tierra completamente socavada, llena de galerías y acabaron con raíces de árboles y con todo. Y del incendio de la finca de Castedo, de una finquita que tenía con castaños, de los que vendía las castañas a los confiteros de Ourense para hacer marron glacé y sacaba de ahí unos duros, pues, qué quiere que le diga, mi padre, que lo veía todo en el bosque, aquel día no vio nada, andaba justo por el extremo opuesto, y los castaños ardieron todos, un dolor ver aquellos árboles tan hermosos, destruidos.

Por eso estaba seguro de que, si yo me marchaba, él se iba a ensañar con mi madre, no físicamente, pero se dedicaría a hablarle mal de mí, que era lo que más podía dolerle a ella. Cuando estábamos en pleno follón sobre si me iba o me quedaba, Castedo le dijo un día que, si yo decidía marcharme, ellos, don Marcial, don Gumersindo y él, se encargarían de que no les faltase nada. Mi padre le contestó que, por lo que a él se refería, quería que se hiciese lo mejor para mí. Eso era lo que decía delante de ellos, pero después por la noche le dijo a mi madre, sabiendo que yo lo estaba oyendo: «Tu hijito querido te va a meter en un asilo y él se va a ir con los señoritos, que es lo que le gusta, como a ti. Te está bien empleado»...

Así que pensé que, si yo me iba, mi madre lo iba a pasar muy mal y podía ser que se muriese, como me dijo don Benjamín, no de la artrosis sino de pena y de depresión. Y a eso no podía arriesgarme. Me quedé, y todavía le deseé a mi padre un par de veces la muerte antes de empezar a sentir compasión por él.

¿No se sorprende? Pues yo sí. Aún no entiendo cómo podía tener sentimientos tan contrarios. Pero era así. Ya algunas veces, siendo niño, sentí compasión por mi padre. Siempre pareció un viejo, por las greñas y las barbas, y porque era mucho mayor que mi madre, veinte años. Él no venía nunca a misa los domingos con nosotros. Iba solo, cuando iba, y se quedaba atrás. Eso no era raro. Muchos hombres lo hacían, llegaban tarde, se quedaban cerca de la puerta y eran los primeros en salir. Pero al acabar la misa, sobre todo en fiestas, esperaban a la familia y se iban juntos a ver los puestos y las casetas, y compraban churros o rosquillas o globos, cualquier chuchería. Pero él en cuanto el cura echaba la bendición se iba y ya no lo veíamos hasta la hora de comer. Excepto una vez, que yo recuerde. Un día de fiesta, al acabar la misa, lo vi cerca de la puerta, sin salir, mirando hacia nosotros, esperándonos. Llevaba el uniforme nuevo y las greñas más peinadas que otros días. Se lo iba a decir a mi madre cuando ella me cogió de la mano y dijo que íbamos a poner una vela a la Virgen de los Dolores, y fuimos allí y rezamos un padrenuestro y dos avemarías y después se fue al altar de san Francisco, que es mi santo, y también rezamos allí. Y todavía fuimos a un tercer altar. Cuando acabamos mi padre se había ido. Yo no le dije nada a mi madre, pero me di cuenta de que ella no había querido salir con él, y a mí entonces me dio pena.

Y también me daba pena cuando la gente se apartaba de él. En un par de ocasiones yo mismo fui testigo. En el camino de salida del Pazo hay bancos de piedra y por la tarde da allí el sol. La gente que está trabajando en las tierras, sobre todo los hombres, se sientan a echar un pitillo y descansar. Por dos veces vi que mi padre fue a sentarse allí y los que estaban en el banco se levantaron y se fueron. Y no era por dejarle sitio, que cabían de sobra. Mi padre no dijo nada, se sentó y fumó un cigarro y después siguió su camino. Pero yo sentía pena por él y rabia contra aquellos hombres. Y hubo cosas peores.

Una vez los furtivos le prepararon una trampa: cavaron una zanja en una *corredoira* por la que él solía pasar de madrugada. La llenaron de mierda de cerdo y la cubrieron con maleza. Era invierno, las zarzas estaban crecidas y él salía antes del amanecer, cuando aún no había luz, así que no la vio y se puso perdido. Lo contaron durante meses en la taberna. Yo me enteré por los niños de la escuela. Y otra vez le pusieron una trampa para zorros que casi le tronzó una pierna. Estuvo de baja dos meses, pero él volvió al trabajo aun cojeando y denunció a un montón de gente. Todo aquello le aumentaba la rabia y las ganas de vengarse, pero a mí me daba pena de él y entonces deseé que cogiera a los que lo habían hecho y que los metiera en la cárcel...

Lo odiaban. Debió de hacer mucho daño. Había gente que vivía de la caza furtiva, no tenían otro modo de ganarse la vida y él debió de dejar a muchas familias en la miseria al denunciar al padre o a los hijos. Sólo así se entiende lo que le hicieron cuando ya estaba ciego.

Únicamente distinguía bultos y sombras, no podía reconocer a una persona. Pero todos los días me pedía que lo llevase hasta el monte y se estaba allí sentado en el tronco de un árbol. Entonces me di cuenta de que el monte le gustaba mucho, porque se quedaba allí horas, oyendo los sonidos alrededor: los insectos, los lagartos, los conejos, los topos, las perdices, las tórtolas, toda clase de pájaros y de pequeños animales que andan por allí y que no ves, pero que si estás atento puedes oír. Y a él le gustaba oírlos. Se aprendió el camino y, aunque veía tan poco, acabó yendo él solo, ayudándose con un bastón, porque le molestaba depender de mí. La verdad es que no era nada exigente, no pedía nada, se estaba horas recostado contra el árbol en el bosque o tumbado en la cama si llovía mucho. Y no se quejaba. Sabíamos que le dolía la cabeza porque se la cogía con las manos, pero no se quejaba. Y seguía siendo igual de áspero que siempre. Cuando se acercaba la hora de darle los analgésicos solía decir: «Trae ya de una puta vez esa mierda de medicina».

Seguía siendo una persona desagradable, a quien espontáneamente no apetecía dar un beso o hacer una caricia. Aún más desaseado y arisco que antes, si cabe. Pero yo me di cuenta de que lo quería cuando lo vi caído al pie del árbol y con la cara ensangrentada y amoratada por los golpes.

Le pegaron entre varios. No hablaron, le pegaron en silencio y él no podía distinguir a una persona de otra. Le dieron puñetazos y patadas. Le rompieron varios dientes y costillas. Le arrancaron mechones de pelo y de barba. Se lo debieron de llevar al interior del bosque y taparle la boca, porque nadie oyó ni vio nada. Y los que vieron u oyeron no quisieron hablar entonces...

Yo hubiera matado a quienes lo hicieron. Le juro que en aquellos momentos lo hubiera hecho con mis propias manos. Y se lo prometí a mi padre, que tarde o temprano los encontraría y pagarían por lo que habían hecho...

Sí... Cuando se tiene dinero es fácil provocar delaciones y encontrar testigos. Yo supe esperar a tenerlo. Y buscar un buen abogado que los acusó de intento de homicidio. Conseguí meterlos en la cárcel. Dos han muerto ya y el tercero está en un manicomio. Eran unos desgraciados malnacidos, que sólo servían para robar caza, tanto el padre como los dos hijos...

La paliza aceleró su fin. Lo de homicidio no fue una exageración. Ya no volvió a salir. Del hospital lo trajeron a casa para morir. Durante los últimos meses mi madre estuvo siempre a su lado. En el hospital le cortaron el pelo y la barba, lo asearon, y en esa etapa final tenía mejor aspecto que nunca en su vida. Cuando volvió a casa mi madre le preguntó si quería dejarse otra vez la barba o si prefería que ella lo afeitase, como hacían en el hospital. Y él dijo: «Haz lo que quieras».

Mi madre se gastó una buena parte de los ahorros en una maquinilla eléctrica, que entonces era una novedad, y se la pasaba todos los días por la cara, y le ponía colonia. Ella hacía la comida y se la daba. Sólo tomaba caldos. Y también le ponía las inyecciones de morfina. Una por la mañana y otra a la noche, aprendió en el hospital... Y yo me ocupaba de todo el trabajo. Mi madre se sentaba al lado de su cama y le cogía una mano y se estaba así todo el día, mientras él dormitaba...

Yo estaba poco con él. Tenía que ocuparme del trabajo y además no podía reprimir las lágrimas al verlo tan débil, tan indefenso. Me acordaba de lo que le habían hecho y me desesperaba. Le juré que los encontraría y lo pagarían caro. Mi madre tenía miedo de que él dijese algún nombre por si yo perdía la cabeza y me tomaba la justicia por la mano. Pero él nunca dijo nada, y cuando yo le juré que lo vengaría asintió con la cabeza y torció la boca en una especie de sonrisa; una de las pocas veces que lo vi sonreír. Como llevaba siempre aquellas barbas no se sabía si sonreía o no. Pero entonces sonrió de aquella forma torcida y dijo: «Estoy seguro de que lo harás»...

No, no me llamaba nunca hijo, ya le he dicho que no era cariñoso. Me llamaba Paco o me daba una voz: «¡Eh, tú!»... Yo a él lo llamaba padre. Mi madre también. Me decía: «Dile a tu padre que ya está la comida», o que saque agua del pozo, cosas así...

No, no me parezco a él físicamente, no sé si en el carácter... En el color me parezco a mi madre, que era muy morena y de ojos azules. Él tiraba a pelirrojo, tenía una piel rojiza y muy basta, y la barba pajiza. Bien lavado y peinado hasta puede que fuese un pelo bonito, pero siempre lo llevó que parecía el rabo de una vaca, excepto en los últimos meses, en que ya lo tenía gris y más corto.

¿Ramón de Castedo?... Castedo tenía los ojos claros...

No, no eran verdes. Los tenía azules...

12

Usted piensa que yo soy hijo de Castedo,
igual que piensa que me casé con mi mujer porque era guapa, rica y sumisa, pero que seguía
enamorado de Laura. Ha venido con esas ideas
y lo único que quiere es confirmarlas. No sé por
qué se empeña en seguir hablando conmigo...

No es que me niegue a admitir la posibilidad, pero incluso Laura dijo alguna vez que yo
me parecía a mi padre. No en el color, ya le he
dicho, pero en la complexión física, en el aire, en
eso que identifica a los miembros de una familia
aunque unos sean rubios y otros morenos. Y con
los años creo que eso se ha hecho más patente...

Comprendo sus razones. Me doy cuenta de
que hay hechos y situaciones de la vida de mi
madre y de la mía que inclinan a pensar eso. Que
mi madre reaccionase de una forma tan exagera-
da a la pregunta de Maíta lleva a pensar que había

algo oculto en su vida, que era verdad que había tenido algo que ver con Castedo, ya que a eso se refería el comentario impertinente, aunque inocente, de mi hija. Y aquello que dijo don Gumersindo: «Fue un gran error casar a tu madre con ese hombre»... Yo también le he dado mil vueltas a esas palabras. Parece que quiere decir que mi madre no eligió libremente, que otras personas la casaron, y que lo hicieron por algún motivo, para ocultar algo, o para...

Para darle un padre a lo que estaba en camino, sí, eso es lo primero que se le ocurre a uno. No crea que me asusta pensarlo o que me escandaliza. Lo he pensado y repensado. He echado cuentas de los años. Y Laura también, sin decirnos uno al otro la razón de nuestros cálculos. Laura quería saber, decía, cómo y cuándo había aparecido su padre en la vida de su madre, cómo había ocurrido, y me hacía a mí preguntas para que yo se las hiciese a mi madre. Seguramente le interesaba el tema, pero creo que de paso intentaba satisfacer su curiosidad por el matrimonio de mi madre. Alguna vez debió de pensar que yo podía ser hijo de Castedo.

En teoría podría ser. Castedo era el más joven de los amigos; más que don Marcial, don Gumersindo y don Benjamín. Y también más joven que mi madre. Él tenía veinte años cuando mi madre tenía veinticinco, que fue cuando nací yo y cuando murió doña Inmaculada. Mi madre trabajaba de doncella en casa de los Castedo, y si se tratase de la casa de los Monterroso hubiera podido quedarse embarazada del padre o de los hijos, porque esa familia ha sembrado de hijos naturales la comarca. Pero el viejo Castedo era la honestidad personificada y Ramón de Castedo estaba enamorado, según todo el mundo dice, de la madre de Laura, de doña Inmaculada.

No fue sencillo poner en orden las fechas, porque mi madre hablaba siempre por aproximación: «Doña Inmaculada debía de tener veinte años cuando murió», o: «Andaría por los dieciocho cuando don Marcial se vino aquí de maestro», por ese estilo; nunca decía una fecha precisa... El que sin duda se las sabía era don Marcial, pero a él Laura no quería preguntarle, quizá por no removerle los recuerdos, o porque no le gustaba hablar con él de ese tema. No sé.

Nana y mi madre fueron nuestra principal fuente de información. Y Nana tampoco era muy exacta en cuanto a fechas. Por lo que pudimos indagar, el amor entre doña Inmaculada y don Marcial fue a primera vista: se vieron y se enamoraron. Hacía muy poco tiempo que don Marcial había llegado aquí, pero ya se había hecho amigo de Ramón de Castedo. Y lo que parece claro es que aquel amor, que desbancaba a Castedo de las preferencias de doña Inmaculada, no rompió la incipiente amistad; parece que, al contrario, la hizo más sólida.

Una posibilidad es que Castedo se consolase con mi madre del desaire de doña Inmaculada. Incluso he llegado a pensar que no rompió la amistad con don Marcial porque ya entonces estaba interesado en ella. Eso encajaría en el típico esquema del chico joven que ensaya sus primeras armas amorosas con la criada, que es mayor y un poco más experimentada. La familia se entera y casan a la chica con el primero que se presenta para quitársela de en medio.

Pero eso no explica que escogieran a mi padre. ¿Por qué él? Era veinte años más viejo que mi madre, era viudo y no creo que tuviese entonces un aspecto ni un carácter mejor que el que yo recuerdo...

No, mi padre no tuvo hijos de su primer matrimonio y yo fui el único del segundo. Eso es un dato más en contra de su paternidad. Y, sin embargo, créame, si no fuese mi padre yo lo sabría...

No, no pienso en la fuerza de la sangre, aunque podría pensarlo por el dolor que sentí cuando lo vi al final tan derrotado y tan indefenso. Me refiero a otra cosa: en los pueblos pequeños esas cosas se saben. Algún niño en la escuela me lo habría dicho, como le dijeron a Carmiña, esa amiga de Laura de la que le he hablado, que era hija de un Monterroso. O habría oído alguna conversación entre personas mayores, o alguna vez a mi padre, cuando se cabreaba, se le habría escapado algún reproche. Pero no fue así. A mi madre le decía que era una señoritinga y que le gustaban los señoritos, pero nunca aludió a una falta grave de ella en ese terreno. Era como si se burlase de sus deseos o de sus sueños; deseos y sueños insatisfechos. Eso era. Le echaba en cara que mi madre deseaba para ella y también para mí cosas que no había podido conseguir y que no conseguiría nunca, porque no pertenecían a su mundo sino a otro en el que ella se había movido antes de casarse con él; un mundo que mi padre veía cerrado e inaccesible para nosotros.

Mi madre no lo creía así. Creía en el poder de la inteligencia, de los estudios, decía ella. Creía que estudiando y siendo listo como yo era, le hablo con sus palabras, podía llegar a ser como don Benjamín, y aún más. Y mi padre ni lo creía ni, si de él dependiese, me hubiera dejado intentarlo. Por eso se nos hacía odioso, porque nos cerraba las puertas de acceso a lo que tanto mi madre como yo deseábamos...

La verdad es que entonces no lo hubiera reconocido, ni siquiera ante Laura, pero en el fondo, cuando era un adolescente, a mí me hubiera gustado ser hijo de Castedo, o de don Gumersindo o de don Benjamín; de cualquiera menos de mi padre...

De don Marcial no, por Laura. No he tenido hermanos y no sé cómo es exactamente ese cariño, pero tenía claro que no quería que fuese mi hermana... Sólo cuando se empezó a comentar que ella tenía novio en Madrid —ya le dije que ella misma se lo contó a Carmiña y no me cabe duda de que en parte lo hizo para que yo me enterase—, fantaseé durante algún tiempo con la idea de que podíamos ser hermanos y que ésa sería la razón por la que Laura se marchaba, no porque estuviese enamorada de otro sino porque nuestra relación era imposible. Pero eso no pasó de una fantasía, algo que pensaba para consolarme de su partida, de su abandono de todo esto...

Descartado don Marcial, que era imposible que fuese mi padre, el que yo prefería era Ramón de Castedo. Me gustaba como persona, incluso me esforzaba por parecerme a él. La manera en que me defendió cuando mi padre quería llevarme a la cantera, cómo le impuso que me dejara horas libres para estudiar... Me gustaba aquel señorío natural, que le venía, decía mi madre, de casta, como a Laura. Don

Marcial era demasiado bondadoso, demasiado comprensivo con las debilidades y los defectos de los otros. Era el único que disculpaba a mi padre, y que lo comprendía. En una ocasión me dijo que si la gente se empeñaba en decir de alguien que era malo, o raro, esa persona acababa haciéndose mala y rara. Se refería a aquellos de quienes se empieza a murmurar que hacen el mal de ojo, ¿sabe lo que es? Antes se hablaba mucho de eso en las aldeas y en los pueblos pequeños. Creían que algunas personas tenían el poder de provocar maleficios: miraban a un cerdo o a una vaca y el animal se ponía enfermo y moría, y también podían hacerlo con las personas, que empezaban a languidecer sin que los médicos pudiesen dar con el origen de su enfermedad. Y era, decían, que Fulano o Mengana les había echado el mal de ojo. Don Marcial nos decía que eso era mentira, que nadie tenía ese poder, pero que cuando la gente daba en señalar a alguien como culpable de echar el mal de ojo, esa persona empezaba a hacer cosas extrañas y hasta se volvía mala a causa de la desconfianza y de la falta de estima de sus vecinos. Yo pensé enseguida en mi padre, y don Marcial, aunque estaba hablando de las supersticiones, debió de darse cuenta, porque me miró y dijo: «Las personas cuando se sienten despreciadas o poco queridas acaban devolviendo mal por mal y entonces se crea un círculo vicioso que es muy difícil romper».

Y eso lo he pensado yo después muchas veces, que mi padre nunca me hizo una caricia, ni vi que se la hiciese a mi madre, pero nosotros tampoco tuvimos con él ningún gesto de cariño hasta el final, cuando ya estaba ciego y se moría. En algún momento se creó aquel círculo vicioso del que hablaba don Marcial, pero debió de ser antes de que yo tuviese edad de recordar, porque desde que tengo uso de razón lo recuerdo siempre hosco y arisco, despegado de nosotros...

No sé si convivían o no íntimamente. Yo dormía en otro cuarto y nunca oí nada...

Dormían en la misma habitación, pero en dos camas, al menos desde que yo recuerdo. Eso entonces era raro entre la gente del pueblo. En las casas de los señores era frecuente que la señora tuviera un dormitorio y el señor otro, no al comienzo del matrimonio, pero sí después de algunos años de convivencia. En casa de Laura, los abuelos tenían dormitorios separados. Doña Inmaculada y don Marcial tenían un solo cuarto y una sola cama, que él siguió usando cuando ella murió. Mi madre dormía en el mismo cuarto que mi padre, en una cama más estrecha que tenía una tabla debajo del colchón. Desde muy joven empezó a tener dolores de huesos y don Benjamín le había recomendado que durmiese en cama dura. Mi padre dormía en la de matrimonio, que entonces era más estrecha que las de ahora. Tenía un cabecero de hierro forjado bastante bonito. Ahora la tiene uno de mis hijos en una habitación de invitados...

Yo tengo la impresión de que no se acostaban... Ya sé que mis recuerdos pueden estar falseados por mis sentimientos, por el cariño que sentía hacia mi madre y la falta de cariño hacia mi padre. Pero lo que conservo en la memoria es una escena repetida con mínimas variantes: mi padre levantándose de la mesa después de cenar, bostezando y estirándose, antes de irse a la habitación. Nunca decía buenas noches, ni se despedía de mí. A lo sumo decía «me voy a la cama». Mi madre se quedaba lavando la loza y recogiendo la cocina. Normalmente había puesto ya unas botellas de barro con agua caliente en las camas, pero a veces lo hacía en el momento en que él se iba y me las daba a mí para que las pusiese entre las sábanas: tres botellas, una para cada uno de nosotros.

Mi madre se iba a la cama siempre después que él. Una media hora, el tiempo que tardaba en dejar la cocina limpia y preparada para el desayuno del día siguiente. Comíamos y cenábamos en la cocina, de lar, que era el único sitio caliente de la casa. Yo a veces me quedaba un buen rato preparando los deberes si no los había hecho antes, o leyendo, aprovechando el rescoldo que quedaba en la cocina. Ella se levantaba a la misma hora que mi padre y le preparaba el desayuno. Cuando él se iba, en tiempo de invierno, se volvía a meter en la cama hasta la hora en que yo me levantaba y desayunábamos juntos. Yo la ayudaba a recoger los cacharros, tanto por la mañana como a mediodía y por la noche, iba por leña y a veces encendía la cocina y daba de comer a los animales, al cerdo, a las gallinas y los conejos. El resto del trabajo lo hacía ella. Mi padre en casa no hacía nada y tampoco en la huerta. Cuando ella se puso peor de la artrosis y a mi padre le empezó el tumor, yo la fui sustituyendo en todo. Ella se sentaba al lado del lar y hacía la comida.

¿Por qué estoy tan convencido de que era mi padre? Ya se lo he dicho: porque me lo habrían dicho de una forma u otra. Y además, con los años me han ido saliendo rasgos de mi padre, la misma Laura me dijo alguna vez que me parecía a él. Incluso físicamente. Mientras él vivió yo me esforcé en ser distinto, en comportarme como mi madre me decía y como yo veía que se comportaban don Marcial y sus amigos. Ya le he contado que a Castedo lo imitaba. Un día Laura me dijo: «Miras como Ramón de Castedo», y después se quedó cortada, igual que el día que me dijo que no se explicaba cómo mi madre se había casado con mi padre. Se ve que temía ofenderme con aquellos comentarios. Pero a mí me dio la risa, porque la verdad era que yo me había acostumbrado a mirar como Castedo, ese gesto de los pintores cuando están midiendo un modelo o un paisaje, que a veces alargan el brazo y levantan el lápiz y otras simplemente fruncen el ceño y miran a lo lejos fijamente. Yo había visto muchas veces a Castedo hacerlo y me gustaba su aspecto, con su sombrero, su pipa y aquella forma de mirar. Cuando don Marcial nos mandaba hacer un dibujo yo lo imitaba descaradamente. Y se ve que a fuerza de imitarlo se convirtió en costumbre, porque cuando Laura me lo dijo yo estaba actuando de forma espontánea, por eso me dio la risa. Nos reímos los dos y ahí quedó el asunto.

Y he de decirle —y espero que lo interprete bien y no siga emperrada en su idea— que también mi hija Maíta mira así. Y la explicación es la misma. Maíta, cuando era pequeña, se pasaba muchas horas conmigo en el estudio, viéndome dibujar. Se ponía en una mesa al lado y dibujaba ella también. Me veía hacer aquel gesto, mirar de una forma determinada y hacía lo mismo que yo. Empezó imitándome y acabó haciéndolo de forma natural, como a mí me ocurrió con Castedo...

Laura decía que yo me parecía a mi padre en..., no sé cómo decirlo. En fin, se lo voy a decir con sus palabras. Decía que mi padre era un animal salvaje, una fiera, apenas domesticada o amansada por la convivencia con el hombre, que en cualquier momento se podía revolver, saltarte al cuello y devorarte. Y que yo tenía también esa misma fuerza, pero en bueno, decía. Que mi padre era un lobo, y yo un perro lobo, que puede morir defendiendo a su dueño. Ya sabe, esas ideas de Laura...

No sé por qué mi madre se casó con mi padre, o por qué la casaron con él según dijo don Gumersindo. Quizá todo sea mucho más simple de lo que parece. Quizá tenga que ver con ese aspecto salvaje del que Laura hablaba. Mi madre era fina y delicada y mi padre era un bruto. Los contrarios muchas veces se atraen...

No, no me imagino a mi madre enamorada de mi padre, nada en su actitud y en su forma de tratarlo hacía pensar en eso. Sólo al final... Mire, yo creo que debió de haber una especie de fatalidad, de mala suerte, para los dos... Yo he pensado que él debió de..., de forzarla. No digo que la violase, pero algo parecido... Él tenía cuarenta años y había estado ya casado, ella no había tenido novio. Él andaba por el bosque y tenía ese aspecto rudo que para algunas mujeres y en algunos momentos, dicen, resulta atractivo... Ella se debió de descuidar y él se le echaría encima como lo que era, como una fiera; cuando ella quiso reaccionar debió de ser demasiado tarde... Puede que la dejase embarazada y en ese caso es lógico que mi madre diese una explicación a la señora de Castedo. Y entra dentro de esa lógica que el juez Castedo llamase a mi padre y lo obligase a casarse con mi madre...

Sí, eso explicaría las palabras de don Gumersindo: «Ha sido un error casarla con ese hombre»... Y explicaría el mal entendimiento entre los dos e incluso que no tuvieran una relación íntima desde que yo lo recuerdo. Y también explica que mi madre se pasase los últimos meses sentada al lado de su cama cogiéndole la mano. A fin de cuentas él también se había casado por obligación y nos había mantenido y no nos había maltratado. Nos amargó la vida, pero nosotros a él también...

Era ella quien le cogía la mano. Y le comentaba cosas del pueblo o le ponía la radio. Él se dejaba hacer. Estoy seguro de que no deseaba su compasión ni la mía. Y debía de pensar que era demasiado tarde para que ella le diese lo que le había negado a lo largo de tantos años de convivencia: cariño, estima, por no decir amor...

Al final le asomó una dignidad que nunca antes había tenido, o que no supimos verle. Se enfrentó a la muerte con valor y con serenidad. Yo diría que como un lobo herido...

Mi madre lloró por él. Y yo también. Aunque ninguno de los dos lo echamos después de menos. Mientras vivió no lo quisimos, y después de muerto nos olvidamos de él. Ésa es la única verdad que importa. Si era o no mi padre no tiene importancia. Yo creo que era mi padre, algo dentro de mí me lo dice, y me reprocha que, creyéndolo, le desease tantas veces la muerte. El perro lobo no es tan noble como Laura pensaba...

13

Hoy hace un poco de frío aquí. O será que estoy viejo y tengo el frío metido en los huesos. Debe de ser eso, que estoy viejo, que soy viejo y por eso hago cosas que nunca hice: leo y releo versos hasta aprendérmelos de memoria; hablo de mi vida, de mis cosas más íntimas, con gente que no conozco de nada. Si me dijeran hace dos semanas que iba a estar contándole mi vida a una desconocida pensaría que ni borracho. Y sin embargo, ya ves. Y lo mejor de todo es que le he cogido gusto, ahora entiendo que haya gente que hasta pague por ir a contarle sus problemas a un psicoanalista, que a mí siempre me había parecido el colmo de la chaladura...

La verdad es que es fácil hablar con ella. A ratos me recuerda a ti, Laura. Todo lo quiere saber y también se queda callada como tú, esperando que yo continúe cuando no le basta con lo que le he contado. Y otras veces me discute lo que le digo o me busca las vueltas para que le cuente lo que no le quería contar.

Tú también me buscabas las vueltas... «Así que andas muy enamorado», me decías, y yo como un pardillo acababa contándote mi vida. Mientras que tú no me contabas nada. Ni yo te preguntaba. Supongo que en el fondo no quería saber. No quería que aquello que nos separaba tomase cuerpo y vida al contarlo. Tu padre tenía razón. Hay sentimientos, incluso hechos de la vida, que no lo son del todo hasta que no les das forma con las palabras... Creo que ya te he hablado de esto, debe de ser otro síntoma de vejez, que vuelvo una y otra vez a lo mismo...

Pero por otra parte me siento joven, siento que estoy descubriendo cosas. Ahora, desde hace algún tiempo, vuelvo a leer. Por las noches, cuando los chicos se ponen a ver la televisión, yo me voy un rato al despacho y leo, y no sólo los libros de arquitectura sino los libros que me manda Maíta, libros de poesía. Y me pasa lo mismo que con los que tú traías o me mandabas cuando te fuiste a Madrid: que dicen cosas que yo he sentido, pero que no sabía que lo estaba sintiendo. Y al verlo allí escrito, dicho con palabras, me doy cuenta. Yo te hubiera podido decir esto, Laura:

Si alguna vez la vida te maltrata,
acuérdate de mí,
que no puede cansarse de esperar
aquel que no se cansa de mirarte...

Yo tampoco me cansaba de mirarte, y te esperé muchos años. Pero no se puede seguir esperando toda la vida. No quise. Yo también tomé mi decisión como tú la tomaste. Igual de irrevocable que la tuya. Decías que los saltos mortales había que darlos sin red, porque si no, no tenían mérito. Había que decir «para siempre» como las enclaustradas, sin camino de vuelta, sin otra opción que la muerte. Así te lanzaste tú a ese matrimonio absurdo, con un hombre con el que no te entendías ni en la vida ni en la cama... ¡No me vengas ahora con que tú no te cansabas de mirarlo! Tampoco te cansabas de mirar al san Juan de Boticcelli, y las flores venenosas, y los nidos, y mis ojos...

Perdona, no quería hablar así. Estoy un poco cansado y nervioso... Me he dado cuenta, Laura, de que yo, que tantas veces he pensado que te engañabas a ti misma, yo también me he engañado a mí mismo. Me he dicho lo que quería oír, lo que quería que hubiese sucedido. Y ahora me gustaría saber.

He llegado a un momento de mi vida, ya inevitablemente cerca del final, en el que quiero saber la verdad, aunque duela. Porque aún me duele pensar en el pasado, no lo puedo evitar. Lo pienso y me duele. Con menos desesperación, pero con más amargura, porque ahora ya no queda esperanza, ya todo está fijado, ahora sí, para siempre. Y quiero morirme sabiendo lo que de verdad pasó, y no lo que yo me imagino o lo que tú quisiste hacerme creer. Por eso hablo con la escritora, porque hablando con ella me he dado cuenta de que es muy posible que yo mismo tenga la respuesta, y que nunca haya querido reconocerla.

Tú le contaste que te pasabas horas mirando a tu marido mientras hacía sus ejercicios de piano y que no te importaba que se saltase notas en los pasajes difíciles, que sabías que no era un gran pianista y que su éxito en los conciertos venía de su encanto personal, no de su talento. Como Isadora Duncan, le dijiste... Yo no sabía quién era Isadora Duncan. Le pedí a Maíta que me buscase información para enterarme y entender lo que querías decir. Y resulta que Isadora Duncan era una gran bailarina, una bailarina excepcional, un genio, dicen, que tenía un don especial para la danza, para crear belleza con los movimientos de su cuerpo. Eso es arte,

Laura. No era su belleza física lo que cautivaba al público sino su talento, su arte. Y yo pensé al leer aquello que tú te engañabas a ti misma. Decías que no te importaba que Fernando no fuese un buen pianista, pero al hablar de él con otra persona lo comparabas a un genio.

Eso puede significar muchas cosas. Una: que no sabías bien quién era Isadora Duncan. Tú tenías una cultura muy superior a la mía, pero creo que a veces hablabas de oídas, sin una información rigurosa sobre los temas. Pudiera ser que creyeses que era una bailarina muy guapa, que se lo debía todo a su encanto personal. Y no era así.

Dos: cuando hablabas con otras personas aumentabas los méritos de tu marido a sabiendas de que exagerabas. No le decías lo mismo a todo el mundo; según con quién hablabas, decías una cosa u otra. Recuerdo que a mí me criticabas a Ramón de Castedo, decías que se había quedado en un pintor local, pero sé que ante otras personas has dicho que era un gran pintor. O sea, que entre amigos te permitías criticarlo, pero lo defendías ante terceros. Y puede que con tu marido hicieses otro tanto.

Tres: te hacías trampas a ti misma, te engañabas. Te dabas cuenta de que cometía faltas de técnica y decías que no te importaba, pero sí te importaba. Hubieras preferido dedicar tu vida a un genio, como Zenobia a Juan Ramón, que era otro de tus ejemplos preferidos para hablar de sacrificio. Y como te importaba, acababas comparándolo a una gran artista y justificando así tu vida dedicada a él.

En fin, Laura, lo de hablar con la escritora me está ayudando a ver claras muchas cosas, aunque no sean agradables de ver. Pero eso es lo que quiero ahora.

He estado hablando de mí, y eso es una novedad, porque yo siempre he escuchado más que hablado, excepto cuando tú me confesabas y conseguías que te contase lo que no quería contarte. El resto del tiempo, más bien te escuchaba, cosa que no me molestaba en absoluto, al revés, me gustaba, porque sentía que tú me abrías puertas a lugares a los que yo solo seguramente no hubiese entrado. Tú eres la única persona con la que yo he hablado de Dios, y de la muerte, y del sentido de la vida, y de la culpa, y del sacrificio, y del amor. ¡Cuánto hemos hablado tú y yo, Laura! Aunque tú hablases más, aunque tú fueses la que sacabas los temas, a veces de un modo extemporáneo, cuando uno menos lo esperaba. Pero, con todo, aquello era hablar, dialogar, porque siempre querías oír lo que yo pensaba, siempre me obligabas con tus preguntas, con tus silencios expectantes a que yo te dijese si de verdad creía que todo, todo, todo se acababa con la muerte; o cuál era la verdadera razón para quedarme aquí. Dado que Castedo y tu padre y don Gumersindo se iban a ocupar de que no les faltase una ayuda a mis padres, por qué había decidido sacrificarles mi carrera, mi futuro, mis posibilidades de ser un gran arquitecto... ¿Te acuerdas, Laura?

Nunca he vuelto a hablar con nadie como hablaba contigo... ¿Y tú?... Creo que tú tampoco has hablado con nadie como conmigo. Con tu padre podías haber hablado, pero con los padres no se habla así, ni con los hijos. Sólo se puede hablar con alguien que es como tú, de tu edad, con quien descubres el mundo al mismo tiempo que te descubres a ti mismo, y con quien puedes hablar sin el respeto que imponen los padres o la responsabilidad que implican los hijos. Y eso queda para siempre. Tú volvías, después de meses de no aparecer por aquí, o incluso de años, y aquel vínculo seguía vivo; podíamos hablar o no hablar de cosas importantes, pero sabíamos que podíamos hacerlo con la seguridad de que el otro estaba en el mismo terreno.

Eso me lo dijo un día Maíta: «A pesar de todas vuestras diferencias, Laura y tú os movéis en la misma onda»... No creo que eso sucediese con Fernando. Se nota en lo que le contaste a la escritora: no quería tener hijos, sentía terror a la muerte, no consentía en oír una crítica, necesitaba sentirse admirado; era egoísta, le dijiste, tenía celos hasta de tu dedicación a los niños y de tu cariño por tu padre. De alguien así se puede estar enamorada, mira, estoy dispuesto a admitirte eso, enamorada, embelecada, empeñada... ¡Ay, Laura! ¡Cómo me cuesta admitirlo! Pero admite tú que con alguien así no se habla del sentido de la vida, de las monjas enclaustradas ni de hacerse cura o quedarse soltero por el amor de una mujer que se ha casado con un amigo.

Yo con Isabel tampoco hablaba de eso. De Castedo o de don Gumersindo sí, pero como quien comenta una anécdota, o una historia de esas que cuentan las novelas o las películas. Pero no era como lo que hablaba contigo. Nosotros discutíamos si era idealismo o cobardía refugiarse en los sueños; si es más importante la realidad que se sueña y que no puede alcanzarse o la realidad que se puede vivir. Si hay que acomodarse a lo que la vida te da, o mantener las aspiraciones a riesgo de quedarse sin nada; si hay que mancharse las manos, ¿recuerdas que comentamos durante días *Las manos sucias* de Sartre? Tú me la mandaste por correo con una nota en la que sólo decías: «Quiero saber qué piensas de esto. Pasaré ahí las Navidades, hasta Reyes. Ya hablaremos». Y lo mismo hiciste con *Antígona*. Cuántas vueltas le dimos... ¿Quién era el autor? No era la tragedia griega, era de un autor moderno, de un francés... ¿Cómo es posible que se me haya olvidado? Esto es la vejez. No creí que pudiera olvidarlo nunca... Pero me acuerdo de que yo defendía la postura del hombre, de... ¡Creonte!, ves, aún lo recuerdo. La heroína, la buena de la obra, era Antígona. Antígona desafía las leyes que prohíben enterrar a su hermano y debe ser ajusticiada por ello. Tú defendías a Antígona. Te sentías Antígona. Y pensabas que yo siempre sería Creonte en la vida, me lo dijiste, y a mí me pareció mal, porque Creonte es el malo, aunque yo comprendía sus razones, y me parecía que también él se sacrificaba haciendo prevalecer la ley por encima de sus afectos.

¡Qué viejo estoy, Laura! Se me van olvidando los nombres, las personas, aunque me acuerdo de detalles insignificantes de la infancia y de la juventud. Y también me acuerdo de lo que discutíamos; aquello fue importante en mi vida, aquello que leímos y discutimos tanto. Pero no tenías razón, yo no he acabado poniendo el orden por encima de los sentimientos. La vida es siempre más compleja, menos clara que los libros, más enredada. Yo creo que a la larga me sacrifiqué más que tú, aunque sí es verdad que acabé anteponiendo la vida, la realidad que estaba a mi alcance, a los sueños imposibles.

Pero te esperé, Laura. Te esperé mucho tiempo, mucho más del que tú hayas podido imaginar, mucho más de lo que yo mismo he creído...

Laura

Hay un momento en la vida en el que se decide el futuro, y yo elegí irme.

Ahora siento cada vez más fuerte la nostalgia de lo que dejé y de lo que pudo haber sido. Pero, al mismo tiempo, no me arrepiento de lo que hice. Si el tiempo volviese atrás, si tuviese la oportunidad de elegir de nuevo, seguramente volvería a hacer lo mismo, porque también sé que, si eligiese quedarme, tendría siempre la nostalgia de lo que dejé de hacer, y esa frustración enlodaría mi felicidad aquí, la teñiría de resignación, de sacrificio.

Puesta a tener nostalgia, prefiero tenerla de este mundo, del mundo de la niñez y de las personas que siempre quise.

14

¿Mis hijos?... Tengo ocho, ya le dije, y veinte nietos. No sé qué decirle de ellos. Son sanos, gracias a Dios, trabajadores, listos, guapos, y sensatos; buena gente. La única un poco conflictiva es Maíta; se ha divorciado dos veces y..., bueno, ahora eso es normal, pero es la única que ha roto su matrimonio, y por partida doble. Y no tiene hijos. Y es la única que a mí me ha dado preocupación. No porque hiciese nada malo, pero la sentía diferente a los otros, y tan independiente que me daba miedo que le fuesen mal las cosas. Aun ahora. Es ingeniera y está bien situada, económicamente y socialmente. Colabora conmigo, en mi sociedad, pero por su cuenta tiene también mucho trabajo, demasiado trabajo, me parece a mí. Pronto tendrá cuarenta años y no me gusta que esté sola. Le pareceré un antiguo o un machista, pero no pienso así porque ella sea chica; la soledad no es buena para nadie, y Maíta no tiene trazas de ir a formar una familia, ni siquiera de emparejarse de una forma estable...

¿Yo? Lo mío es diferente, no se puede comparar. Yo me quedé viudo con cincuenta y cinco años y con los ocho hijos...

Pues sí, en todos estos años, después de faltar Isabel, alguna relación sí tuve. Pero ¿no quería que le hablase de los chicos?...

Bien, pues a lo que íbamos. Yo tengo la sensación de que se criaron solos y eso es porque Isabel se encargaba de todo mientras fueron pequeños. Creo que ya se lo dije: andaba siempre con un niño encima, igual que de pequeña con la muñeca de trapo. A mí me daba miedo que se me cayesen de los brazos, pero ella los llevaba como si fuesen una parte de su cuerpo. Y no fueron niños guerreros. Ella era tranquila y les comunicaba su tranquilidad. Y se ocupaba de todo. Si estaban enfermos, llamaba al médico y les daba las medicinas y se quedaba a su lado por las noches y ponía un papel rojo en las bombillas cuando tenían sarampión y les leía cuentos. Y también se ocupaba de las vacunas. Nunca tuvieron ninguna enfermedad importante. Sólo cosas de niños.

No piense que a mí no me gustaba estar con ellos o que no me preocupaba cuando se ponían con fiebre. Pero yo trabajaba mucho, fuera de casa, quiero decir. Tenga en cuenta que fueron años duros. Yo no soy arquitecto, y ahora no importa porque tengo una sociedad, y ahí están tres de mis hijos, dos que son arquitectos y otro que es delineante, y Maíta, y alguna otra gente de fuera de la familia. Pero en aquellos años yo empecé a hacer casas y chalés con un arquitecto que lo único que hacía era firmar y cobrar. Había que trabajar mucho y moverse mucho para tirar para delante, porque lo que quedaba en limpio de tanto trabajo era muy poco. Y el dinero de los primeros años era de mi suegro y yo no quería vivir de prestado, así que lo de los hijos, todo el cuidado y la organización de la familia era cosa de Isabel...

Sí, ella siempre me apoyó en mi trabajo y nunca me hizo de menos. En ningún sentido. Cuando nos casamos, la que tenía dinero era ella, y ella fue la que le pidió a su padre las tierras que daban a la playa para que yo pudiera hacer allí los chalés. Y nunca dijo «mi dinero» o «mis tierras».

Le pidió primero como dote un terreno para una casa de verano y, cuando el padre le dijo que podía disponer de él, Isabel no me dijo que le hiciese una casa, me dijo que su padre nos lo había regalado y que a ver qué se me ocurría a mí con aquel pedazo de tierra.

Yo le hice la casa, porque sabía que a ella le gustaba tener un chalé cerca del mar. Mientras que a mí lo que me gustó siempre fue el Pazo, a ella le tiraba más lo moderno, los grandes ventanales y las terrazas. Se la hice como a ella le gustaba y fue como un reclamo. Apenas lo había acabado cuando ya dos inmobiliarias querían comprar los terrenos de alrededor. Y ahí empezó mi lucha con ellas, porque yo quería conseguir dinero, pero no especulando con terrenos. Yo quería hacer casas. Hacerlas yo y a mi manera. Y no fue fácil conseguirlo...

La carrera no la estudié porque en aquel momento tenía demasiadas cosas de las que ocuparme. Y cuando tuve ya el dinero, cuando le pude devolver a mi suegro lo que había invertido y ganaba lo suficiente para encarar la vida con tranquilidad, entonces mi hijo mayor estaba acabando su carrera y Maíta también. Ya no valía la pena.

La que me ha dado la murga durante años ha sido Maíta. Los otros no. Francisco, el mayor, me dijo un día: «Te cambiaba la carrera por la mitad de las ideas que tú tienes en la cabeza».

Es muy buen chico, nunca tuvo celos, ni de los hermanos ni de mí. Que a veces oye uno cosas que te ponen los pelos de punta: hijos que odian al padre porque les hace sombra, o a la madre..., pero más frecuentemente al padre...

Sí, «matar al padre»... Después de lo que le he contado debe de estar pensando que a mí no debería sorprenderme ni horrorizarme, pero yo lo veo muy diferente. Mi padre nunca se interesó por nada de lo que yo hacía o de lo que a mi madre le interesaba. Nunca movió un dedo para hacernos la vida más agradable, en fin, ya le he contado. Y yo me he desvivido para que a mis hijos no les faltase de nada. Y nunca hice un comentario desdeñoso sobre sus proyectos, ni se me ocurrió reñirles cuando suspendían. El mayor estudiaba todo lo que podía, y si algún día se iba de juerga, pues me parecía natural, era joven y necesitaba esparcimiento. Pero si, con todo lo que he hecho por ellos, me envidiaran o me odiaran porque a mí se me ocurren ideas que a ellos no se les ocurren, me parecería mal, injusto...

Mi hijo mayor es un buen arquitecto técnico, pero no es..., no sé cómo decirlo..., no se le ocurren ideas nuevas. Él es el primero en admitirlo. En una ocasión quise encargarle a él un proyecto, sin intervenir yo, por no influirlo. Y él me dijo que no, que si lo hacía yo saldría mejor. Y entonces, sin ánimo de molestarlo, por Dios, le juro que lo hice sólo porque pensaba que quizá estaba cortándole las alas al adelantarme a hacer los proyectos, le dije: «Y cuando yo falte ¿qué vas a hacer?». Una pregunta estúpida, nadie es indispensable en este mundo. Así que, nada más hacerla, me arrepentí y esperaba que me dijera algo como «ya nos arreglaremos» o cosa semejante. Y me dejó colgado porque dijo: «Cuando tú faltes, yo me limitaré a repetir lo que tú has hecho»...

No, no lo dijo con resignación ni con resentimiento. Lo dijo como si dijese: «Hay una gotera en el tejado» o «ya han madurado las cerezas», ¿comprende?, como un hecho natural, que es así y que no tiene vuelta...

Vocación no se puede decir que haya tenido, pero nadie lo empujó a hacerlo. Si no hubiera querido, habría podido estudiar cualquier otra cosa.

Maíta dice que, igual que arquitecto, podría ser abogado o veterinario y que lo haría con el mismo entusiasmo, es decir, ninguno. Ella siempre suelta las cosas así, de la peor forma. Dice que lo único que le gusta de verdad en la vida es la música y que en todo lo demás es un ganapán. Lo hace porque es bueno y trabajador, pero no le interesa nada. Por eso no tiene ambición, ni celos...

Verá, Maíta pretende que su madre se empeñó en que Paquito fuese arquitecto y que yo la dejé hacer, y que al chico nunca lo animé en lo que hacía bien, que era tocar cualquier instrumento que se le ponía a su alcance.

A mí me ha venido muy bien que fuese arquitecto y me alegré cuando a los diecisiete años me dijo que quería serlo. Pero le aseguro que cuando vi el esfuerzo tan grande que le costaba la carrera, que no descansaba ni en las fiestas ni en los veranos, lo cogí un día y le dije que yo me ganaba la vida sin necesidad de ser arquitecto y que él también podría hacerlo. Y el chico ni lo consideró. Terminó la carrera porque le dio la gana.

Mire, es muy difícil acertar con los hijos. Uno pone la mejor voluntad y creo que eso es lo único que vale. Es posible que lo hayamos empujado a hacer algo para lo que no está especialmente dotado. Una de las gracias que hacía Francisco cuando aún no hablaba, cuando sólo decía «papá», «mamá» y poco más, era decir que quería ser «titeto». Isabel le preguntaba «¿qué va a ser mi niño cuando sea mayor?». Y el niño decía: «Titeto»... Está claro que al niño solo no se le hubiera ocurrido, pero de ahí a forzarlo va un largo trecho...

A mí tampoco me forzó nadie. Sólo Maíta me dio la tabarra, ya le digo. Y Laura también, a su manera. Mi mujer, igual que mi madre, nunca me dijo nada de eso. Mi madre al principio, cuando se planteó si yo me iba o me quedaba aquí, estaba dispuesta hasta a ingresar en una residencia, en un asilo, para no ser un impedimento para mi carrera. Pero después, cuando ya empecé a trabajar, pensaba que yo era lo mejor del mundo, mucho más listo que el arquitecto que me firmaba los proyectos, y que no necesitaba hacer nada más en la vida. No volvió a hablar de que estudiase Arquitectura.

Supongo que a Isabel le hubiera gustado que tuviera el título. Y a mí, y a cualquiera. A nadie le amarga un dulce. Y estaba además el aspecto práctico. Si yo fuese arquitecto no tendría que pagarle a otro por firmar y hacer el paripé de que opinaba sobre los proyectos. En ese sentido entiendo que Isabel animase al chico a hacer la carrera. Así todo quedaba en casa. Y con los otros hermanos vino rodado: tienes el estudio en marcha, ven que sus compañeros acaban las carreras y no tienen dónde meterse, y entonces ellos se suben al carro de la familia. Si lo mira desde fuera parece que los hubiésemos programado: dos arquitectos, un delineante, una ingeniera y un abogado, pero le puedo asegurar que los chicos lo escogieron libremente porque veían que a los veinticinco años iban a estar ganando ya dinero y podrían independizarse o casarse si les apetecía...

Gelo, que es el otro arquitecto, no se calienta la cabeza; es más vivalavirgen que su hermano.

Lo que quiere es ganar dinero y no meterse en complicaciones. Su ideal en el trabajo es hacer un prototipo y venderlo cien veces. ¿Se ha fijado usted en las paradas del autobús con la marquesina doble? Es un diseño nuestro. Lo hicimos porque él se empeñó, y la verdad es que ha dado más dinero que otras obras mucho más importantes.

El diseño propiamente dicho fue mío, porque ya le he dicho que a ninguno de los dos se les da bien. Pero la idea fue de Gelo. A mí nunca se me hubiera ocurrido hacer una parada de autobús, y mire que miles de veces he pensado que estaban mal hechas y que habría que hacer algo para que la gente no se mojase en invierno ni se achicharrase en verano. Pero no me veía yo tratando con los ayuntamientos, ¿comprende? Y eso a Gelo se le da de maravilla. Como arquitecto trabaja poco, pero siempre está gestionando proyectos nuevos: cabinas para la playa, chiringuitos, kioscos de prensa, gasolineras...

¿Las chicas? Sólo a Maíta y a Merche, que es farmacéutica, les tiraba estudiar. Las otras dos hicieron Magisterio, por hacer algo, porque su madre quería que todas tuviesen un medio de vida independiente, pero no ejercen. Una ha puesto una tienda de ropa y la otra le ayuda al marido, que es médico.

Todos están bien, a todos se les ve contentos y felices con sus familias. La única que me preocupa es Maíta, ya le dije, en ese sentido no le han ido bien las cosas. Y también de otro modo me preocupa el mayor, Francisco. A veces lo veo tocando la guitarra o un piano que compró para sus hijos y... no sé, no sé si lo hemos hecho bien.

Ha aprendido música, ya de mayor, en sus ratos libres, y a su mujer le ha compuesto una canción, y se la ha grabado en un disco. Ella se llama Elisa como la de Beethoven, y él le ha puesto de título a la canción *Para mi Elisa*. A mí se me saltaban las lágrimas cuando la oí y pensé que, quizá sin querer, lo hemos empujado a hacer algo que no es lo suyo. Quizá viva mejor así, quiero decir con más dinero y más comodidades que si fuese músico, pero pienso en cómo hubiera vivido yo si no hubiera podido hacer casas...

Triste no está. Yo lo veo contento con su familia y con el dinero que gana. Los ratos libres los dedica a oír música; tiene una habitación reservada para eso, con los aparatos más modernos y mejores. Y él toca y hasta compone, ya le he dicho. A mí siempre me pareció aquello una afición y no un trabajo o una vocación. O quizá no quise verlo hasta que Maíta me lo dijo. Aunque, por otra parte, lo sigo viendo como un entretenimiento. ¿Cómo le diría? Yo no pude ser arquitecto, pero empecé haciendo gallineros y garajes, lo que me encargaban, y acabé haciendo todo lo que me salió de... En fin, quiero decirle que si mi hijo quisiera de verdad ser músico habría acabado siéndolo...

Hace falta carácter, sí. Y también estar acostumbrado a luchar con las dificultades. Estos chicos lo han tenido todo muy fácil. Son buenos chicos, pero no son luchadores. La única que se ha ido por ahí a batirse ella sola el cobre ha sido Maíta. Yo estoy encantado de que todos los demás se hayan quedado por aquí, pero hay que reconocer que, aparte del cariño que nos tuvieran, aquí les resultó todo mucho más fácil, tenían el camino trillado. A Francisco es posible que su madre lo haya empujado en cierta forma a hacer esa carrera que yo no pude hacer, pero sólo con que hubiera dicho «quiero ser músico y no arquitecto» yo no lo habría violentado a hacer algo que no quería.

Lo de ser músico es un poco fuerte, reconózcalo. Es posible que al comienzo le hubiera hecho estudiar también algo más práctico, aunque no fuese más que Magisterio o idiomas, por lo menos hasta ver si valía para la música. Pero puede creerme que yo no iría en contra de la vocación de un hijo. Y, sin embargo, él ha obligado a los suyos a estudiar piano. Y eso me lleva a pensar que no ha tenido verdadera vocación, porque alguien que se ha visto forzado a estudiar una carrera que no le gusta no repite el error con sus hijos. Y él sí los ha obligado. De los tres que tiene, la única que toca bien es la chica, que es profesora de Música, pero los otros dos hicieron los cursos a trancas y barrancas, abominaban del piano, pero mi hijo erre que erre con que habían de acabar la carrera. El pequeño cuando acabó le dio a su padre el diploma diciéndole: «¡Ahí tienes tu título!». Y el mayor no dijo nada, pero debía de pensar lo mismo. Hicieron Derecho y están preparando oposiciones, y ninguno de ellos ha vuelto a tocar, que yo sepa. El único que toca el piano que compró para ellos es mi hijo...

Frustrado, lo que se dice frustrado, a mí no me parece que esté. Lo de sentirse frustrado es muy subjetivo, y lo de pensar que alguien lo está, también. Laura a mí siempre me ha visto como una persona frustrada, pensaba que yo no había llegado a desarrollar todas mis posibilidades porque me faltó en el momento de la juventud la base que da la carrera. Y Maíta piensa lo mismo, lo sé. Sin embargo, Isabel, no. Para ella el título de arquitecto era algo social, que económicamente podía favorecerme, pero no creía que con él fuese a ser mejor de lo que era, que a ella le parecía lo mejor del mundo, ya le he dicho. Y eso, aunque sea vanidad, es muy agradable, y hasta necesario para hacer bien el trabajo: que crean en uno, que no lo estén comparando siempre con un modelo superior e inalcanzable...

Maíta con la carrera hizo lo que le dio la gana, como con todo. Por eso creo yo que le duran tan poco sus relaciones...

Sí, por eso y porque no aguanta nada. Si algo no le gusta, no transige, y eso no es bueno para las parejas...

Yo no digo que sea la mujer la que tenga que aguantar, entiéndame bien. Digo que para convivir hay que transigir...

¿Con Isabel?... Con Isabel yo no tuve que transigir en nada. Ella compartía mis gustos y nunca criticó mis decisiones y a mí no me molestaban las suyas. Lo de la casa y los chicos lo llevaba perfectamente...

No estaba pensando en Isabel cuando lo dije. Pensaba en Laura.

Laura

Tú eres para mí mucho más que un buen recuerdo.

Tú fuiste la otra alternativa de mi vida y eres un término de comparación constante.

15

¿Mi ojito derecho?... Yo no creo que a un hijo se le quiera más que a otro. Lo que pasa es que a veces a uno se le ve más débil, más necesitado de ayuda y los padres se vuelcan más con él, sobre todo las madres, pero también los padres aunque se nos note menos. Y los otros hermanos se dan cuenta y tienen celos y gastan bromas. Francisco fue siempre «el niño de mamá» para todos los hermanos, porque Isabel se ocupaba mucho de él, a pesar de ser el mayor. Yo creo que era por lo que le dije de su afición a la música. Isabel debió de darse cuenta antes que yo, ella era la que estaba siempre con los niños, yo en aquella época los veía sólo por las noches, cuando volvía a casa para cenar, el día que venía, que muchos días me tocaba cenar con gente por ahí. Ella lo debió de notar y no le siguió el gusto sino que, en fin, ya le he contado lo que el niño decía de ser «titeto». Y quizá para compensarlo, o como agradecimiento hacia él, lo mimaba más, porque la verdad es que Francisco nunca se quejó de nada, ni dijo nunca «a mí me hubiera gustado hacer esto o esto otro». Ni puso una mala cara con su trabajo. Es un chico extraordinario. A buen carácter y a complaciente no le gana ninguno. Es el mejor. Sólo ha tenido la manía de hacerles estudiar piano a los hijos, pero eso no les ha hecho mal ninguno. Algún día se lo agradecerán...

¿Yo?... Usted está pensando que mi ojito derecho es Maíta... Pues verá. No es que sea mi preferida. Yo a todos los quiero igual. Pero una cosa es querer y otra entenderse.

Con Maíta he hablado de temas de los que no he hablado con ninguno de los otros, pero hay que decir que es porque suele tomar la iniciativa; siempre fue muy descarada para hacer preguntas. Te lo dice de una manera que no te queda más remedio que explicar la situación. Y es la única de todos los hermanos que lo hace así. También es cierto que, por ser chica, uno habla mejor con ella de algunas cosas. Entre hombres da cierta vergüenza, cierto rubor hablar de sentimientos. Se habla de aventuras o de sexo. Ya desde jóvenes, por lo menos en mi generación, a los amigos se les decía que te gustaba Fulana o

Mengana, pero daba apuro decir que estabas enamorado... Incluso algunas cosas que le he contado a usted, creo que si fuese hombre no se las contaría. No sé por qué, pero es así. Y con mis hijos nunca hablé de sus novias. Ellos no me contaban ni yo les preguntaba. Y las chicas le contaban a su madre, conmigo se ponían coloradas como cerezas y si les preguntaba algo contestaban con evasivas, o con monosílabos. Supongo que no me mentían, pero tampoco se explayaban. Si las veía tristes yo podía preguntar: «¿Es que te has peleado con el novio?», y ellas se limitaban a decir sí, y punto. Era Isabel la que después me contaba lo que les pasaba, por qué estaban como unas castañuelas o por qué andaban llorando por los rincones. Pero Maíta era distinta. Maíta, cuando era joven, cuando estaba estudiando en Madrid, sólo hablaba con Laura. Y Laura, cuando le parecía, me lo contaba a mí, supongo que con el consentimiento de mi hija. Se entendían perfectamente.

Ahora que son todos adultos hablamos más. Los hijos cuando se casan o cuando se van a vivir por su cuenta se alejan de uno y no sólo físicamente. Te das cuenta de que pasas a segundo término. Yo procuré que mi madre no se sintiese nunca relegada y en eso Isabel me ayudó mucho, pero lo normal es que pasen de ti, que tomen sus decisiones sin contar contigo, o contando sólo lo indispensable para que no te ofendas. Y después, cuando se van haciendo mayores, vuelven. Un día te encuentras con que se ponen a contarte sus problemas con los hijos, que si salen hasta las tantas, que no les gusta estudiar, que no hablan con ellos, que sólo les interesan los amigos. O que van a divorciarse, que no te disgustes... ¡Cuántas vueltas da la vida! No sé si me hago ilusiones, pero ahora tengo la impresión de que les interesa lo que yo pueda decirles. Incluso a Maíta, que siempre ha hecho de su capa un sayo. Aunque sin faltarme al respeto, eso sí.

Laura decía que mis hijos estaban un poco chapados «a la antigua», por la forma de tratarme. Decía que podía imaginárselos tratándome de usted. Es una exageración, pero desde luego a mí mis hijos no me hablaban como a ella los suyos, que más que con su madre parecía que estaban hablando con otro chaval de su edad. Por lo menos el pequeño. Le decía: «¡Venga, tronco!», y cosas así. Eso lo oí yo uno de los pocos días que estuvo aquí con ellos. Al pequeño, que tendría doce o trece años, lo mandó a buscar unas cervezas a la casa y él le dijo: «¡Qué morro, macho, aquí camarero para todo!». No lo dijo de malos modos, era un chaval simpático, pero ésa no es manera de hablar a una madre. Y a mí me trató de tú, como si fuera el jardinero. A Laura no le parecía mal, creía que era una prueba de confianza. Al padre, al marido de Laura, no le hablaban así, pero tampoco le contaban sus problemas, decía ella...

El mayor parecía más callado y más serio. Yo no lo oí hablar con su madre, así que no sé cómo la trataba. En todo caso resultó más formal que el otro: hizo su carrera y se fue a Estados Unidos y parece que allí está muy bien situado. Y el pequeño se tuvo que casar a los diecisiete o dieciocho, una barbaridad, porque dejó a una chica embarazada; la conoció en un verano y en ese mismo verano la dejó embarazada. Y hubo que casarlos porque ella era menor. Ya no pudo estudiar una carrera y se tuvo que poner a trabajar en lo que le salió. Eso ya lo sabrá usted por Laura. Lo que quizá no sepa es que Laura intentó primero que la chica abortase, pero la familia de la chica se negó en redondo, y su hijo y la novia, también. Y después intentó que el chico reconociese a la criatura, pero que no se casasen, y volvió a dar en hueso. Ellos querían casarse y la familia de la chica también quería casarla.

Yo entonces estaba un poco cabreado con Laura, por cosas de Maíta precisamente, porque me parecía que le daba alas a la chica para hacer lo que le diera la gana, sin contar conmigo ni con su madre. Y por eso no le di la razón, ni en lo de abortar ni en lo de reconocerlo. Le dije que su hijo tenía que hacer frente a las consecuencias de lo que había hecho y que no estaba bien dejar a una madre soltera...

Ahora... No sé qué decirle. La vida es menos clara que las ideas. Ahora pienso que Laura tenía razón y que lo sensato era abortar o reconocer al hijo, y no meter en un matrimonio a dos chavales de esa edad. Tenían todas las cartas para que les saliese mal. Y sin embargo les salió bastante bien: vivieron juntos casi veinte años, no tuvieron más hijos, y cuando el que habían tenido era ya mayor se separaron, según Maíta, amistosísimamente. Los dos se han vuelto a casar y se llaman y se ven para contarse sus problemas y celebran juntos las fiestas en casa del hijo, en fin, que fueron felices y comieron perdices...

No es que lo dude, es que no entiendo que dos personas que se quieren tanto y se entienden tan bien se separen. Ni entiendo lo de casarse, separarse y quedar tan amigos. Que uno quiera separarse y al otro no le quede más remedio que resignarse, pase. O que vuelvan a hablarse después de años, cuando cada uno ha rehecho su vida. Pero así, justo después de romper el matrimonio, me cuesta creerlo...

Lo de Maíta empiezo a entenderlo ahora, cuando ya la vida me ha enseñado mucho, pero cuando Laura me lo contó me cayó como una patada en la barriga. Yo quería lo que quiere cualquier padre: que se casase con un buen chico y que formase una familia, como nosotros, como sus hermanas, lo normal; no que anduviese pendoneando por Madrid.

Él no era mal chico, pero a mí al principio me caía mal porque se acostaba con mi hija. Cuando me lo dijo Laura me supo a cuernos coronados. Mis hijos podían acostarse con quien quisieran, siempre que no fuesen a hacer una tontería como el hijo de Laura, pero con las chicas las cosas son diferentes, ¡y mi Maíta!... Mire, hay que ponerse en la piel de un padre. Un hombre sabe desde muy joven lo que los hombres piensan y hablan y hacen con las mujeres cuando se los deja sueltos. Eso las mujeres no lo saben, porque delante de ellas no se habla así, y se finge. Y las mujeres a veces se ciegan. A esos hombres que maltratan a las mujeres ¿no cree usted que se les tiene que notar antes de casarse? Pues las chicas no lo notan, o si lo notan creen que podrán corregirlos y que a ellas no les pasará. Y yo me imaginaba a mi hija en manos de un bárbaro, de un desaprensivo, de un sinvergüenza y me volvía loco. Yo a los violadores los metería en la cárcel hasta que se pudriesen, o los caparía, y a los que maltratan a las mujeres, lo mismo. Y si a una de mis hijas le llega a pasar algo así, le meto al tipo dos tiros en los cojones y me lo llevo por delante...

Eso mismo dice Maíta: que vaya gracia si además de violada o maltratada tiene a su padre en la cárcel. Pero ya me buscaría yo la vida allí dentro para no pasarlo demasiado mal y salir pronto. Lo tengo muy claro, si alguien toca a mis hijas o a mis nietas me lo cargo. En fin, afortunadamente no ha ocurrido, y el chico de Maíta resultó ser una excelente persona que aguantó a mi hija varios años, que esta hija mía no crea que es fácil de aguantar...

Al comienzo todo me parecía sospechoso. Laura me contó que aquel muchacho se había apartado de la tradición familiar de ejercer una carrera de Derecho. Su familia, que tenía bastantes pergaminos, era gente de Leyes desde el siglo XVIII, y el chico por narices había de estudiar Derecho. Y lo estudió, pero no lo ejerció. Al mismo tiempo y por su cuenta estudió Literatura y se puso a trabajar como profesor, primero en un instituto de enseñanzas medias y después en la Universidad. Y para colmo se ennovió con mi hija, que no tenía pergaminos. Su familia lo miraba como a un hijo pródigo que cualquier día volvería pobre y arrepentido a la casa paterna. Laura contaba todo aquello como un mérito del chico, pero a mí no me convencía, y, cuando Maíta me habló de él, yo pensé lo mismo que la familia...

Me habló porque me presenté en Madrid a pedirle cuentas y ella debía de estar ya prevenida y adoctrinada por Laura, porque no se me atufó como otras veces, que se cierra en banda y dice que ya es mayorcita para saber lo que hace, y cosas así. No, aquella vez me dio toda clase de explicaciones, y yo, al comienzo, ya le digo, pensé que sería un niño bien que a la vuelta de dos o tres años de desasnar zopencos se volvería a su carrera de Derecho, a ganarse su buen dinero y a conseguir prestigio en la Magistratura. Pero no fue así y ahí sigue el hombre en sus trece. Vive modestamente, dice Maíta, pero le gusta lo que hace y eso le compensa. Y de ahí, de esa relación le viene a mi hija el gusto por los libros. Él le recomienda las lecturas, y Maíta, después, me pasa a mí los que más le han gustado...

Rompieron por tontos..., por ingenuos, por inexpertos. Decidieron que antes de ponerse a vivir juntos y formar una familia debían tener otras experiencias. Concederse un plazo de libertad. Maíta se largó a Estados Unidos a hacer un máster. Iba para un año escaso, pero consiguió allí una beca y se quedó dos. Mi hija siempre le ha dado mucha importancia a su trabajo, y no estaba dispuesta a perder oportunidades. Y al volver no sé lo que pasó. Él debía de estar dolido por la actitud de ella y ella no estaba acostumbrada a templar gaitas. A ella le iba en su trabajo cada vez mejor, es competitiva y, en cierto modo, ambiciosa. Y él lo único que ha querido siempre es leer y dar clases. Tiene un puesto modesto en la Universidad. Y estoy seguro de que Maíta le ha dado la tabarra con eso, como me la daba a mí...

Con ella y con Laura siempre tuve la impresión de no haber llegado a donde debería llegar. Y eso es muy incómodo. Es como si te estuvieran exigiendo algo que tú no has hecho, que no has podido hacer o no has querido, y te hacen sentir, ¿cómo le diría?, que el listón está más arriba de donde tú puedes llegar, que tú te quedas por debajo por más que te esfuerces, ¿comprende?, que todo lo que haces es menos de lo que podrías haber alcanzado si hubieras hecho lo que ellas querían, la carrera de arquitecto en mi caso y la cátedra de universidad en la de ese chico. En fin, éstas son elucubraciones mías, porque conozco a mi hija y sé lo exigente que puede llegar a ser. El caso fue que poco tiempo después de regresar de Estados Unidos cada uno se fue por su lado. Ella se casó dos veces, dos matrimonios cortos, dos fracasos, y él se casó, ha tenido hijos y sigue casado. Y con Maíta, pues no sé, serán amigos como ella dice. Es la vida de mi hija y no debo hablar más de esto...

¿Se lo contó a usted?... Una vieja amistad con cama incluida. Y un problema de conciencia. ¡Vaya! Maíta presume a veces de cínica. A mí no me lo dijo tan crudamente. Y debe de referirse a él, no creo que haya otro hombre. Pero esa relación es más que una vieja amistad con cama; mi hija se engaña a sí misma o miente. No en lo que dice de que él no puede dejar a su mujer por una cuestión de conciencia. Yo eso me lo creo. Alguien que para seguir su vocación rompe con la familia, con las ventajas y las comodidades de un camino trillado, me parece un tipo de fiar. Además yo pienso lo mismo. Yo no dejaría a Isabel por nada del mundo. Me sentiría un canalla haciéndole daño a alguien que sólo te ha hecho bien toda la vida, que te ha ayudado y ha estado a tu lado en los momentos difíciles. ¿Qué ejemplo les vas a dar a tus hijos? ¿Cómo se puede justificar un abandono así? No podría mirarlos a la cara, ni mirarme yo mismo. Hay cosas que un hombre como Dios manda no puede hacer. Si te has equivocado o si te has cansado y te apetece otra, te aguantas. Las cosas no van a más si uno no quiere, si se ponen los medios para evitarlo...

¡Lo de la maestra no tiene nada que ver con lo que estamos hablando! Isabel nunca lo supo, ni lo sospechó siquiera, porque yo no le di motivos, ni se planteó nunca que Marisa fuera otra cosa que lo que era. ¿Qué tiene que ver eso con romper un matrimonio y dejar tirada a tu mujer?...

No me cabreo, pero es que parece que no quiere entenderme. Ese hombre, el amigo de mi hija, no puede en conciencia dejar a su mujer, porque ella lo necesita, lo necesita tanto que acepta que él tenga una amante con tal de no perderlo por completo. Maíta no soportaría algo así. Ella es muy dura, es capaz de tirar para delante aunque esté destrozada por dentro, y nunca le diría a un hombre: «Si me dejas me mato, quédate conmigo porque no puedo vivir sin ti...». Pero hay mujeres, ¡y hombres!, que son capaces de suplicar, de arrastrarse, de transigir con cualquier cosa con tal de que no los abandonen. Yo no puedo, yo soy como Maíta, aunque me muera de pena no puedo suplicar, porque necesito que me quieran por mí, no por compasión. Pero, entiéndame bien, comprendo a quien suplica. No a quien amenaza, la amenaza me parece despreciable, pero la súplica no, porque el otro debe saber el daño que te está haciendo, lo que significa para ti. Aunque yo no haya sabido nunca suplicar, comprendo a quien lo hace, y pienso que un hombre que vive durante años con una mujer que lo necesita de ese modo no pueda en conciencia dejarla. Creo que mi hija lo entiende también, por eso sigue con él y no lo fuerza a dejar a su mujer. Y su cinismo es una manera de protegerse. Para ella, y seguro que para él también, esa relación es más que una vieja amistad con cama. Yo creo que esos dos se quieren de verdad, se han querido siempre, aunque sean tan distintos. Lo que pasa es que la vida es muy puñetera y a veces metes la pata y las cosas se tuercen y ya no hay manera de arreglarlo. Cada uno está preso ahora en las consecuencias de sus actos y lo que tienen es un apaño, porque otra cosa no pueden hacer...

¡Usted a todo le saca punta! Estamos hablando de mi hija, no de Laura y de mí. Usted todo lo tergiversa. Ya le he dicho mil veces que yo fui muy feliz con mi mujer y que no cambiaría nada de mi vida con ella...

¡Pues si no se lo había dicho se lo digo ahora!: fui feliz con Isabel. Me hizo la vida agradable, alegre y fácil. Me ayudaba, se ocupaba de todo, no se peleaba con mi madre, cuidaba de los niños, me dejó trabajar en paz, confió en mí.

Y me quería como yo soy, y me admiraba. Métase eso en la cabeza: yo quería a mi mujer y fui feliz con ella.

Y ahora déjeme, por favor. Estoy cansado.

Laura

Me dijo: «¿Estás enamorada de él?»...

Al evocarlo en mi recuerdo me doy cuenta de aspectos que entonces sólo oscuramente intuí. Estaba allí, delante de mí, esperando una respuesta que iba a decidir nuestras vidas. En su cara, en su manera de mirarme, en la forma en que sus brazos caían a lo largo de su cuerpo y sus manos se cerraban con fuerza, en el modo en que sus pies se plantaban en el suelo, se adivinaba todo su pasado, pero también un futuro posible.

Era el niño pobre que iba a la escuela de favor, el amigo que se puso delante del perro rabioso para protegerme, el que cazaba para mí jilgueros y ruiseñores, el compañero con quien descubrí el placer del cuerpo... Y era también el hombre que aún no era, pero que podía llegar a ser, quizás este mismo de hoy,

pero yo diría que distinto: más rebelde, menos acomo-
dado a su entorno...

¡Si vieses cómo me miraba!, ¡cuánto deseo, cuán-
ta pasión había en sus ojos!

Le dije que sí y sentí una pena muy honda.

Pena por él, por mí, por todos nosotros, porque en
ese instante preciso intuí por primera vez algo que
después el tiempo confirmó: que el mundo está mal
hecho, que la vida es un juego cruel en el que todos
somos perdedores.

16

A la señora esa, a la escritora, se le ha metido en la cabeza que yo soy hijo de Castedo y que tu hijo mayor es mío. No es que lo diga claramente, pero por las preguntas que hace se le nota que es eso lo que piensa, y que no se convence con lo que yo le digo. Y también cree que entre Isabel y yo encarrilamos a los chicos para que hiciesen las carreras que a mí me convenía... ¡Como si fuese tan fácil! No digo yo que al mayor no le haya empujado un poco Isabel, pero anda que los otros. Lo que más me hubiera gustado a mí era tener un médico en la familia y ya ves, ninguno de los ocho, ni de los nietos tampoco; tengo un yerno, pero es ginecólogo.

Yo a todos les preguntaba si no les gustaría estudiar Medicina y me miraban como si les propusiese ser bomberos. Sin embargo a mí me parece una buena carrera, un poco sacrificada si te quedas en un pueblo, pero también tiene sus compensaciones, la gente te estima y puedes hacer mucho bien, como don Benjamín. A mí, de no hacer casas, me hubiera gustado ser médico, médico internista, que son los que me parecen verdaderos médicos, los que saben de todo. Como tu hijo mayor... Hay casualidades en la vida. Menos mal que no le he hablado de esto a la escritora. Lo que faltaba para convencerla de que es mío.

Una cosa así me la habrías dicho... ¿O no?... Quizá ni tú misma lo sabes, a qué darle vueltas y a quién le importa ya.

Él no vino a traer las cenizas. Igual le molesta que yo me haya quedado con la finca. Tendrá dinero, en Estados Unidos los médicos están muy bien pagados, y le gustaría conservar el Pazo de sus antepasados. O tendría prisa por volver con su familia y a su trabajo, quién sabe. Me extrañó que no viniera, a fin de cuentas era tu entierro, aunque fuese una extravagancia, y a una madre hay que complacerla, aunque sean rarezas o antojos.

Mi madre en los últimos tiempos dio en decir lo poco a gusto que iba a estar en el nicho del cementerio, encajonada entre otros nichos como las cajas de zapatos en las zapaterías. No sabes lo que me costó conseguir una tumba en el suelo. Ya no era cuestión de dinero, era que no había sitio. Al final conseguí la del indiano, ¿te acuerdas?, la de la verja alrededor. Encontré a los herederos, unos parientes lejanísimos que ni se acordaban de tal tumba, y que me la vendieron a precio de oro. No sabes qué alegría tuvo mi madre, es difícil entenderlo, aunque quizá tú, que te empeñaste en venirte aquí cuando tienes una capilla preciosa, lo entiendas mejor que yo. A mí me da lo mismo adónde se vayan estos huesos.

O mejor dicho, para ser sinceros, me daba lo mismo. Ahora que ya lo veo cerca no me da igual. Me he pasado la vida construyendo casas hermosas y cómodas para vivir, y no voy a irme al final a un agujero en la pared. Por mí mismo creo que no hubiera movido un dedo para cambiar el nicho donde estaba mi padre, pero ahora me alegro del capricho de mi madre. Al comienzo me fastidió un poco porque parecía lo típico del nuevo rico, que no le basta con hacerse la casa y quiere hacerse un monumento en el cementerio. Pero ella tenía razón: iba a estar allí más tiempo que en ninguna parte, eso decía. Y también que le pusiera delante un banco de piedra para que cuando fuese a verla me pudiese sentar y no estar de pie como las visitas cuando tienen prisa. Lo hice como ella quiso y quedó bien. Mi madre era una persona refinada, con buen gusto... ¿De dónde le venía? ¿Lo aprendió de la familia de Castedo?, ¿o la cogieron para servir allí porque le vieron la buena facha? ¿De dónde nos vienen los gustos, las inclinaciones, las manías?

¿De dónde me viene a mí esta vocación de hacer casas? ¿Y a tu hijo la de ser médico?...

La escritora diría que a mí, de Castedo; y a tu hijo, de mí. Con quien no le salen las cuentas es con Maíta. De ésa, aunque se parece a ti, no puede dudar que es de su madre, que bien que le costó parirla, hasta en eso fue guerrera.

Le conté que me manda libros de poesía, aquel del blanco lucero que tu padre recitaba y otros que ella lee y le gustan. Me preguntó si eso le venía también de ti. Yo le dije lo que pienso, que tú escribiste aquel libro para niños con los cuentos que a ti te había contado tu padre, pero que no te gustaba más la literatura que la pintura o la música. Lo tuyo era la cultura en general, y el arte. Después de casarte no volviste a hablarme de literatura, aunque a veces me traías de regalo algún libro de pintura o de arquitectura.

A Maíta ese gusto de leer yo creo que le viene de aquel primer novio con el que ahora vuelve a estar. Él está casado, como sabes. Cuando Maíta vino para hablarme de la escritora, de que era amiga suya y de lo que pretendía hacer, de paso me habló de su situación. Soy el último en enterarse, como siempre. Creo que ella te echa de menos, necesita alguien con quien desahogarse, me parece, aunque no lo dice, y yo he procurado escucharla y no decir nada que pudiera herirla.

Pero la verdad es que me parece una historia triste en la que ella va a ser a la larga la más perjudicada. Está metida en un asunto que no tiene fácil solución, aunque la he visto más contenta y sobre todo más tranquila que otras veces. En fin, a ti quizá te parezca bien que viva así, con un hombre casado. Todo lo de Maíta te parecía bien, natural, decías. Menudo disgusto me diste cuando me soltaste que se estaba acostando con ese tipo. Las chicas no esperan a casarse para acostarse con su novio, decías. Eso sería en Madrid, y además Maíta no era una chica, era mi hija, no tenía ni veinte años, y me parece a mí que tampoco se acostaban todas, ni entonces ni ahora, pero tú siempre has sido muy lanzada. No quiero decir que la empujases, pero ¡tenías tanta influencia sobre ella, Laura! Y no sé si esa influencia fue siempre para bien.

La escritora no me ha dicho qué le ha contado mi hija de nosotros. Le sorprende que se parezca a ti, incluso físicamente. Y como no puede decir que no es hija de su madre no hace más que darle vueltas al asunto. Me dijo: «¿A qué atribuye usted que sea tan parecida a Laura?»... Se le nota por dónde van los tiros, pero yo me salí por la tangente y le dije que probablemente te imitaba. A mí, a gallego, no me gana esta señora. Además es posible que sea la verdad: desde pequeña te admiraba. Cuando venías, traías siempre algo especial para ella. Le dijiste que eras su madrina adoptiva y ella se quedó encantada. Y después seguramente empezó a imitarte, y cuando se fue a Madrid eras la persona con la que podía hablar. Debió de ser eso. Las personas que están mucho tiempo juntas llegan a parecerse incluso físicamente, en los gestos, en la forma de hablar, de manera que hasta los rasgos resultan parecidos.

Isabel creía que lo que hace una mujer embarazada influye en el hijo. A mí me parecían supersticiones. No digo lo de fumar o beber sino esas cosas de oír música o de mirar una foto para que el hijo se parezca a alguien. Es como lo de los antojos. Yo eso no lo creo, pero hay cosas que te hacen dudar. Uno de mis nietos tiene en el culo unas manchitas que son tal cual un manojo de cerezas, como si se lo hubiesen dibujado, y resulta que a su madre una noche de noviembre cuando ya estaba de seis o siete meses se le antojaron cerezas, mira tú. Es la mujer de Moncho, una chica con su carrera universitaria, pues cerezas en noviembre, que ya sabía que no era tiempo de ellas, pero dice que le dio una apetencia rara, unas ganas como nunca había sentido por ninguna comida. Moncho llamó a Isabel, por si tenía cerezas; ella solía poner frutas en conserva o en mermelada, pero las que su mujer quería eran frescas. Yo creo que el chico se asustó con aquello del antojo y por eso llamó a su madre. Y ella le dijo: «Que se ponga la mano en el culo, no vaya a ser que le salga al niño una mancha en la cara». Y, mira, ahí está en el culo del pequeño, que parece una calcomanía, hasta de color rojo, como las cerezas. Así que algo debe de influir lo que uno piensa y lo que desea.

Yo pensaba en ti, Laura, ya lo sabes. Pensaba muchas veces. No cuando estaba con Isabel en la cama, eso no, a mí Isabel me gustaba y la quería... Aunque quizá alguna vez... Me pasaban por la cabeza imágenes, como relámpagos, de aquella tarde en el hórreo... el brillo del sol en tu cuerpo... Pero eso no pudo influir. Lo que un hombre piensa cuando folla no puede influir en el hijo, eso es imposible. ¡Si fuera así, qué pocos hijos se parecerían a sus madres! O a sus padres. Porque seguro que también las mujeres pensáis en otras cosas. Y más debe de influir en la mujer, que al fin lo lleva dentro nueve meses.

¿Pensabas tú en mí? Me dijiste que conmigo mejor que con tu marido. A pesar de mi inexperiencia, Laura, porque yo entonces bien poca experiencia tenía. Lo que sabía me lo había enseñado Marisa, la maestra, ella me desasnó en esas cuestiones y bien que se lo he agradecido toda la vida.

Me preguntó la escritora si había tenido relaciones después de la muerte de Isabel. Yo intenté dejarlo pasar, pero ella volvió a insistir; cuando algo le interesa lo saca de nuevo aunque sea por los pelos. Al final casi hemos acabado riñendo. Creo que he estado demasiado brusco con ella, pero es que me pone nervioso sacándole punta a todo.

Algo le debes de haber contado tú. Y no sé para qué quiere saber eso. Yo pensaba que quería hablar sobre ti, al menos eso fue lo que Maíta me dijo, que quería completar lo que escribió sobre ti, y conocer mi punto de vista. Eso entonces me pareció normal, porque tú le contaste las cosas a tu manera y es lógico que quiera conocer otras opiniones... Pero de todas formas no deja de ser un poco raro, porque, no te molestes, Laura, pero tú no eres Madame Curie ni Rosalía de Castro, ni la Bella Otero, quiero decir alguien famoso, ¿me entiendes?, y no sé a qué viene tanto interés en tu vida, y de paso, en la mía.

Aunque bien mirado, cualquier vida humana tiene interés y se pueden sacar enseñanzas de ella, así que también de la tuya, y de la mía, y de la de tu padre, o de la del mío, de cualquiera. En fin, que, como ella hace tantas preguntas, yo también le pregunté qué era lo que andaba buscando y me dijo que no buscaba nada concreto, que le interesaba la vida, ver cómo la vive cada persona. Y dijo que aunque dos personas hayan vivido los mismos episodios, cada uno los siente y los entiende de modo diferente, y que eso le interesa. Se fue por las ramas, como hago yo cuando no quiero contestar, pero creo que está buscando lo mismo que yo quiero saber.

Tú decías, ¿te acuerdas?, que a una monja enclaustrada no se le podía decir que no existe la vida eterna. Yo también lo creo. Si una monja de clausura empezase a pensar que la vida acaba con la muerte y que no hay más vida que la que ella ha pasado encerrada entre las paredes del convento, sin disfrutar de nada, negándose las más elementales satisfacciones, ¿lo podría admitir? ¿Podría aceptar que esas ideas no son una tentación diabólica sino la posibilidad más razonable?

Cuando le hablé de esto, la escritora dijo que algunas personas, muy pocas, son capaces de darse cuenta de que se equivocaron, de reconocer un error que mantuvieron a lo largo de muchos años y que afecta a su vida entera, pero que casi nadie lo soporta, y que eso es la causa de muchos suicidios.

Incluso en el caso de las conversiones de fe, en las que se espera una vida eterna, el sentimiento de culpa por el supuesto error anterior es más fuerte que la alegría que deberían sentir por haber descubierto la verdad, y los lleva a penitencias extremadas. Y en los otros casos la desesperación de ver que has echado a perder tu vida y que ya no hay posibilidad de dar marcha atrás provoca un dolor que casi nadie puede soportar.

Así lo dijo, y pienso que tiene razón, y que por eso nadie quiere reconocer los grandes errores, las grandes equivocaciones. Por eso uno se obceca en seguir por el mismo camino. Cuando durante toda tu vida has creído algo que afecta a tu manera de vivir, de dar sentido a esa vida, no puedes cambiar. No puedes reconocer que te has equivocado, porque, cuando no hay tiempo para rectificar, eso te volvería loco, o te llevaría al suicidio. O a dejarte morir...

Laura, ¿tú...?

Se lo dije a la escritora: que yo pensaba que tú apostaste tan fuerte en aquella decisión primera que ya no tenías marcha atrás.

Al comienzo sí, muy al comienzo la tenías. Quizá fue por orgullo, por no reconocer ante los tuyos y ante mí que te habías equivocado. O quizá tardaste demasiado en darte cuenta y sentiste que ya era tarde. Pero no lo era, no lo fue durante mucho tiempo.

Todavía cuando viniste a plantar este magnolio yo te dije: «Quédate». Isabel había muerto y se veía claramente que tú no eras feliz. Tenías cincuenta años. Hubiéramos podido vivir más de veinte años juntos. ¡Cuánto habríamos hablado, Laura! ¡Y cuánto te hubiera querido! Yo estaba aún lleno de fuerzas y de ganas y con más experiencia. Habríamos disfrutado como dos locos, te lo aseguro... Pero tú no quisiste.

Y después fue ya demasiado tarde. Muerto Fernando, yo me hubiera sentido como un plato de segunda mesa, como un reemplazo de última hora. Será orgullo, pero cualquiera lo puede entender. Mientras él vivió, yo podía pensar que tú rectificabas, que, aunque tarde, me preferías a mí. Pero después, no. Sería reconocer que siempre lo habías preferido a él, a pesar de que te engañaba y de que había otra mujer en su vida, que no sé cómo podías aguantar eso. «Un cirineo», dijiste, alguien que te ayudaba a soportarlo, parece que querías decir, una chica joven, que había sido su alumna y que estaba dispuesta, igual que tú, a dedicarle su vida. ¿Por qué no lo dejaste entonces? Porque también te necesitaba a ti, le dijiste a la escritora, os necesitaba a las dos, no te jode, mejor un harén para que estuviese contento...

Lo mío con Marisa no puede compararse. Era más una amistad que otra cosa. Eso sí que fue una vieja amistad con cama, y no lo que dice Maíta. Nos conservamos cariño desde aquellas primeras veces cuando yo era tan joven. Y, cuando tenía que ir a Vigo a resolver algún asunto, la llamaba y cenábamos juntos y me quedaba en su casa. Ella nunca se casó. Decía que no le iba el matrimonio y que para niños ya tenía bastantes en la escuela. Después de morir Isabel nos veíamos con más frecuencia, porque no iba a ser motivo de sufrimiento para nadie ni había razón para ocultarse. Y tú le hablaste de ella a Maíta, y Maíta a la escritora.

Tuviste que ser tú porque no creo que nadie más se atreviera a hacerlo, ni siquiera que lo supiera. Nunca salimos juntos mientras vivió Isabel. Yo iba a su casa y salía de ella solo. No quería que Isabel sufriera por algo que no tenía por qué hacerla sufrir. Era una amiga con la que hablaba y con la que me acostaba, pero que nunca interfirió en mi matrimonio. Tú me preguntaste en uno de tus viajes «¿sigues viendo a la maestra?» y yo como un estúpido te dije la verdad: «Alguna vez», y a ti te faltó tiempo para contarlo.

Maíta me lo soltó como siempre, de escopetazo. Fue después de morir tu marido, cuando ella me propuso que vinieses a pasar una temporada al Pazo para reponerte. A mí no me apetecía verte entonces. Tenía mi vida organizada y no quería que vinieras a desbaratarla una vez más... En fin, no quiero hablar ahora de eso.

A lo que iba: le dije a Maíta que se viniera ella aquí contigo y que yo me iba a tomar unas vacaciones, un viaje. Y Maíta me soltó: «¿Con la maestra?».

Ya me dirás quién se lo podía haber contado a mi hija... En fin, todo esto es agua pasada, pero esa mujer me hace preguntas y se me remueven los recuerdos y me hace pensar cosas que antes no había pensado. Por ejemplo, he pensado que a mí siempre me habéis manejado las mujeres: la primera, mi madre... Manejar es una manera de hablar. Quiero decir que en mi niñez y en mi primera juventud yo vivía a la sombra de dos mujeres, en su órbita: mi madre y tú. Toda mi vida, mi trabajo, estuvo condicionado por la decisión de quedarme aquí, y me quedé por mi madre. Tú te fuiste, te casaste, y todo lo demás vino rodado para mí. No tenía otra opción. Yo me casé también y desde entonces mi vida giró en torno a Isabel mientras vivió.

Incluso en lo que se refiere al sexo han sido las mujeres quienes han tomado la iniciativa. A veces en conversaciones de hombres se habla de conquistas, de cómo han conseguido pasar por la piedra a alguna que se les resistía inicialmente. Yo nunca he conquistado a nadie, ni me he tirado a ninguna mujer que no estuviera por la labor. No sé si soy un bicho raro o si en el fondo los demás son como yo, pero se hacen la ilusión de que conquistan. Creo que nunca he dado el primer paso. Únicamente con Isabel, y aun así, cuando la pretendí, yo estaba seguro de que le gustaba, por cómo me miraba, por la forma de hablarme cuando nos tropezábamos. Pero con ella sí llevé yo la iniciativa de la relación, y eso me gustaba. Aunque también me gustaba lo contrario. Me gustó que Marisa me llevase a la cama, y me gustó que fueses tú la que empezases a besarme... Pero lo tuyo es siempre punto y aparte: me gustaba y me fastidiaba al mismo tiempo. En eso lo hombres somos raros. Cuando Marisa se marchó de aquí, la primera vez que fui a verla lo hice, en cierto modo, para demostrarle que yo también sabía tomar iniciativas: hice un viaje, con bien poquito dinero por cierto. Era cuando mi padre estaba enfermo y todo se nos iba en cuidados. Y aun así ahorré unas pesetas, cogí un autocar hasta Brétema y desde allí otro hasta un pueblo de Ourense donde entonces estaba de maestra. Sabía su dirección porque ella me había mandado una tarjeta. Y me presenté sin avisar. Menos mal que la cosa le cayó bien. Fui por la mañana temprano y me volví aquel mismo día en el último coche. Estuve apenas dos horas con ella y me sentí tan satisfecho de la hombrada...

Me preguntó la escritora si alguna vez en aquellas ocasiones en que te ponías a mirarme los ojos tan de cerca te había besado. Debe de estar pensando que soy un cobarde. Tenía tanto miedo a que me rechazases que eso era más fuerte que mi deseo. No soportaba la idea de que tú te apartases de mí y me mirases con asco o con compasión, y después me tratases como a uno más, manteniéndome a raya con tu frialdad. Sólo con imaginarme la escena me moría de vergüenza.

Además yo creía que no coqueteabas, eso he intentado explicarle, que me mirabas como a los nidos y a las flores venenosas. Pero no sé, Laura, no sé, ahora pienso que no podía ser como yo creía, que en el fondo estabas provocándome. Porque yo te gustaba. Si no te gustara no me habrías besado de aquel modo en el hórreo, no habrías respondido a mis caricias como lo hiciste. Tres veces seguidas hicimos el amor aquella tarde y hubiéramos seguido si yo no hubiera hablado, si no hubiera empezado a hablar... A veces aún me pregunto qué hubiera pasado si me hubiera callado, si te hubiera apretado muy fuerte contra mi cuerpo, toda la noche abrazado a ti, sin soltarte. Si sólo te hubiera dicho: «Quédate conmigo. No puedo vivir sin ti, Laura»...

17

¿A despedirse?... Espero que no sea por mi actitud de ayer. Precisamente yo quería disculparme por mi brusquedad. Ha de tener usted en cuenta que los viejos nos impacientamos con facilidad...

Usted no tiene que pedirme perdón. Desde el comienzo anunció bien claramente cuáles eran sus propósitos. Si yo me he prestado a este interrogatorio, yo soy el único responsable de haberlo pasado mal...

A ratos yo también he hablado muy a gusto con usted, pero a ratos me ha sacado de mis casillas. También con Laura me pasaba, y fíjese si la he querido y si he deseado su compañía, pero esa forma suya de preguntar y de no aceptar las respuestas que no la convencen me recuerda a lo que Laura hacía y me pone nervioso. Además, a mi edad es mejor no remover ciertas cosas. Mejor dejar dormir lo que no puede ser remediado...

No, por Dios, no piense eso. Me alegro de haberla conocido y de haber podido hablar con usted de muchas cosas de las que no había hablado con nadie. Y me ha ayudado a ver claros algunos aspectos de mi vida en los que no había vuelto a pensar. Hay gente que paga a un psicólogo para que lo escuche. A mí sólo me ha costado algún berrinche...

Sí, es muy posible que yo haya intentado escurrir el bulto, pero usted reconozca que ha venido con ideas preconcebidas, dispuesta a confirmarlas...

Pues, por ejemplo, la idea de que yo he estado siempre enamorado de Laura y que mi matrimonio y toda mi vida familiar han sido sólo un apaño.

Ya sé que no ha dicho «apaño», pero qué más da la palabra. Se le nota que, en el fondo, piensa eso: que fue una sustitución, una componenda, como lo de hacerme aparejador cuando no pude ser arquitecto.

¿Caminar hasta el magnolio? Por supuesto, si a usted le apetece. Incluso podemos sentarnos un rato allí si no tiene prisa. Yo lo hago muchas tardes. Y puede seguir preguntando, si todavía le queda algo por saber...

¡Si hubiera podido escoger!... Usted ya sabe lo que escogí. Yo escogí quedarme aquí y cuidar de mis padres, al precio de sacrificar mi carrera y mi futuro profesional... En cuanto a Laura, si de mí hubiera dependido, por supuesto que hubiera elegido que no se fuera de aquí y que se quedara a mi lado. De eso no tengo la menor duda. Pero ¿qué hubiera pasado después? Yo mismo me lo he preguntado muchas veces. Lo que más deseamos es lo que no hemos podido conseguir. Las personas somos así: nos esforzamos por algo hasta perder la salud y, cuando lo hemos conseguido, enseguida deja de entusiasmarnos y empezamos a desear otra cosa. En los niños es en quienes se ve más claramente, porque los mayores disimulamos. ¿Usted no tiene niños, verdad? Yo tengo un montón de nietos y ya antes lo había observado en mis propios hijos. Se acercaban las fechas de los Reyes o de los cumpleaños y se desvivían por conseguir el juguete que les apetecía, eran buenísimos, hacían recados a toda la familia, sobre todo a su madre y a su abuela para ponerlas de su parte, y así, a fuerza de insistir y de demostrar cuánto deseaban aquello, conseguían al fin la bicicleta, o la moto, qué sé yo, de todo han tenido estos chicos, y ya no digamos los nietos. ¿Y cuánto les duraba el entusiasmo? Pues hasta que salía el nuevo juguete en la tele. A mis hijos aún les pasa. Dicen que están encantados con su coche, pero en cuanto sale un modelo nuevo ya lo están cambiando.

Yo creo que no soy así. A mí lo que me gusta me sigue gustando siempre. Ya ve, este Pazo y este jardín y esta huerta; yo no me canso de cuidarlos y de disfrutarlos. Mis hijos no paran de hacer reformas en sus casas, o de hacerse casas nuevas, se van hacia el sur, buscando el sol, y después quieren otra casa aquí porque allí se achicharran en verano. Yo vivo siempre en el mismo sitio, desde la primavera al invierno. Así que lo más probable, dado como yo soy, es que no me hubiera cansado nunca de vivir con Laura...

Sí, digo lo más probable, porque hablamos de algo que no sucedió, y no hay que olvidar que ella fue el juguete que nunca pude conseguir. No sé qué pasaría si lo hubiera conseguido. Entiéndame lo que quiero decir, no era un capricho, ni una cuestión de orgullo. Laura ha sido lo que yo no pude alcanzar, con todo lo que eso quiere decir. Usted puede pensar como mi Maíta y como Laura, que yo podía haber llegado mucho más lejos en mi profesión, que soy un fracasado. Pero yo me veo como un triunfador, se lo digo sin falsas modestias. Yo era el hijo del guarda y de la criada de los Castedo y, a pesar de ello, he conseguido casi todo lo que deseaba...

Casi... Ha habido dos cosas que no he conseguido, dos aspiraciones, dos deseos que no he podido realizar. Una se refiere a mi trabajo, ya se habrá dado usted cuenta, pero me gustaría matizarlo antes de que usted se vaya. A mí me molestaba que Maíta me diese la matraca con el asunto de hacer la carrera de Arquitectura y me molestaba que Laura no estimase más lo que he hecho, eso es verdad, pero ahora me doy cuenta de que algo de razón llevaban. Quiero decir: pienso que se equivocaban, en el sentido de que llega un momento en que a las personas hay que aceptarlas como son, no te puedes pasar toda la vida recordándoles lo que podían haber hecho y no hicieron. Eso es muy fastidioso y muy inútil. Yo a mis hijos los he apoyado y empujado a hacer lo mejor posible su trabajo. Incluso, cuando ya las cosas empezaron a irnos bien, les planteé la posibilidad de salir al extranjero a aprender. La única que lo aceptó fue Maíta, que se fue a Estados Unidos a hacer un máster, los otros no quisieron. Pues bien, yo creo que hicieron mal en no aprovechar la oportunidad, pero nunca se lo he dicho ni se lo diré. Y, por otra parte, en el aspecto personal, a Maíta no la favoreció el irse fuera, ya se lo he contado. Así que todas las opciones, por buenas que sean, tienen su parte de riesgo y un precio que pagar. Por eso me irrita que mi hija y Laura sólo vieran el aspecto negativo de haberme quedado aquí y de no haber estudiado una carrera universitaria. Pero todo eso no me impide pensar, cuando hojeo los libros de los grandes arquitectos, que, si las cosas hubiesen rodado de otro modo, yo hubiera tenido al menos la posibilidad de intentar algo así...

Por favor, no se burle, yo no soy un genio, ni malogrado ni sin malograr. Pero a todos nos gusta que nos dejen probar hasta dónde somos capaces de llegar. Yo sé que todo esto son sueños y que a mis propias limitaciones había que sumar las del país. ¿Cuántos Le Corbusier ha habido en España? ¿O cuántos Frank Lloyd Wright? El país también te condiciona, te limita o te ayuda. Un escritor, un pintor, un músico puede hacer su obra abstrayéndose en cierta medida de la realidad que lo rodea, pero un arquitecto, no.

¡Cuando yo vi por primera vez los rascacielos de Nueva York!... Isabel creyó que me había puesto malo, pero Maíta se dio cuenta de lo que me pasaba. Una cosa es verlos en fotografía y otra verlos de verdad, sentirte como una hormiga ante aquella mole tan grandiosa y tan bella. No se lo puedo explicar, aquello era otro mundo, otra dimensión, otra concepción de la vida, de lo que se puede habitar y vivir. Si aterrizo en la Luna no creo que me hubiera trastornado tanto. Y no eran sólo los rascacielos, eran los museos, y las plazas y los puentes, ¿ha visto usted qué preciosidad de puentes los de ese país? Me gustó ver todo aquello, pero entonces sentí más fuerte que nunca mis límites, el pequeño mundo al que me había confinado mi falta de estudios.

Isabel tuvo un gesto conmovedor. Andaba yo embobado de tanto mirar el Seagram, aquella proporción perfecta, y el Citicorp, cuarenta y seis pisos sobre cinco columnas, estaba mareado, abrumado, qué le voy a decir. Y aquella noche, cuando ya Maíta, que entonces estaba allí haciendo el máster, se había ido a su residencia, y nos quedamos ella y yo solos en la habitación del hotel, Isabel se acurrucó junto a mí en la cama y antes de dormir me dijo: «A mí me gustan más las casas que tú haces».

A usted le parecerá una simpleza, sin duda lo es, pero no sabe cómo le agradecí aquellas palabras en aquellos momentos, aun dándome cuenta de lo que tenían de simples. Isabel no lo dijo por halagarme, no era una mentira piadosa, lo dijo convencida, lo sentía de verdad. Y yo necesitaba ese reconocimiento. Estaba muy inquieto. Aquel viaje me enfrentó a algo que yo conocía por los libros, pero que nunca había visto. Y Maíta había contribuido a aumentar mi desazón. Yo no quería ni pensar en lo que estaba viendo, en aquel mundo que por primera vez se convertía en realidad ante mis ojos. Y Maíta me hizo pensar que yo podía entrar en él. Ese mismo día, mientras yo estaba con la boca abierta mirando y remirando el Seagram, esa maravilla de Mies van der Rohe, Maíta se colgó de mi brazo y dijo con todo el convencimiento del mundo: «Papá, tú proyecta un rascacielos, y yo te resolveré todos los problemas técnicos»...

Le dije que estaba loca, qué le iba a decir, y me eché a reír. Quise tomarlo como una broma, pero Maíta insistió: «Hablo en serio. Tú puedes hacerlo», me dijo. Yo no quise ni considerarlo, delante de ella seguí bromeando con la idea de hacer un rascacielos en Brétema, pero la verdad es que la cabeza se me puso a cien, no podía evitar que se me ocurriesen ideas fantásticas.

Me duró cierto tiempo. Aquel viaje me trastornó y pasé una crisis. Lo que hacía me parecía aburrido y sin interés, dormía mal y soñaba con puentes como el de Brooklyn y con edificios como los de Nueva York. Y mi mujer me ayudó a superarlo. Yo no quería hablar con ella de ese asunto, pero al final acabé diciéndoselo, que aquello era arquitectura y lo demás ganapanes. Y ella, de nuevo, me dijo algo que me tranquilizó. Me dijo: «Aquello es para verlo, no para vivir. Seguro que a todos los que trabajan en esas torres les gustaría vivir en una casa como las que tú haces». Y mire usted, después he vuelto a Estados Unidos en tres ocasiones y siempre me he ido a ver, además de los edificios públicos, las casas en las que la gente vive, las casas en las que les gusta vivir, y ¿sabe qué le digo?, que mi mujer no andaba muy descaminada.

Con todo, la idea del rascacielos se me quedó por ahí escarabajeando en la cabeza y un día decidí sacármela fuera y me puse a hacer dibujos. Me divertía, ¿sabe?, era un puro juego. Como no tenía que construirlos, podía hacer lo que me diera la gana. Lo pasé bien haciendo aquello. En mi trabajo siempre he vivido constreñido por la escasez de espacio, o por la necesidad de abaratar costes. Para una casa que podía hacer a capricho, cien había que calcularlas al milímetro. Y, por el contrario, en aquellos dibujos podía dejar volar la imaginación, porque de tan imposibles que los veía no me preocupaba ni de que se mantuviesen en pie. Lo pasé bien y me ayudó a volver a mi realidad. Pero un día caí en la tentación de enseñárselos a Maíta y ella los vio como algo posible. Sobre todo uno de ellos. Dijo: «Es como tus casas, pero en rascacielos. Aquí hasta mamá querría vivir»...

Porque aquella torre tiene terrazas en cada piso y jardines dentro del edificio y, como va ligeramente escalonada, no se tiene sensación de vértigo sino que al asomarte puedes ver a lo lejos, pero hacia abajo tienes una plataforma cercana, con árboles...

No, no pensé en construirlo. Seguía siendo una locura. Isabel se había muerto y yo estaba con pocos ánimos y con muchas cosas que resolver. Pero Maíta arrambló con el proyecto, me lo pidió como regalo y yo se lo di, y aquel año por su santo le regalé también una maqueta.

Se lo regalé y me olvidé del asunto. Hasta hace unos cinco años cuando Gelo apareció por el estudio diciendo que tenía entre manos el proyecto más importante que habíamos tenido nunca. Ya le he contado que él es el que gestiona la mayoría de los trabajos nuevos, eso se le da muy bien. Y, cuando yo pregunté de qué se trataba, le hicieron sitio para que desplegara las carpetas. Todos en el estudio lo sabían ya y me habían preparado la encerrona. Tardé un rato en darme cuenta porque eran fotos en color de la maqueta, ampliadas y tratadas por ordenador para ver el edificio desde todos los ángulos, y eso despista. Y sobre todo tardé en reconocerlo porque no me lo podía creer. Hasta que Gelo desplegó mi dibujo original, el que yo le había regalado a Maíta. Era mi rascacielos. Pero yo no acababa de entender a qué venía aquel derroche de fotos y de planos hasta que Gelo dijo: «Lo hemos presentado a un concurso y hemos ganado».

¡No podía creérmelo! No me lo creí del todo hasta que no lo vi hecho. Fueron dos años de lucha, no piense que fue sencillo. Hubo mil dificultades; desde los ecologistas, que no querían que se hiciesen rascacielos en la zona, hasta la financiación, que nos trajo de calle; dos años de lucha. Pero al final salió, y salió bien...

Sí, es el rascacielos de Puerta del Atlántico. Se lo habrá contado Maíta, claro... Y si lo sabía ¿por qué no me lo ha dicho? ¿Por qué me deja contárselo como si fuera la gran novedad? Me hace sentirme como un viejo charlatán...

Ya. Le interesa mi versión. Se me había olvidado. Eso es lo que la ha traído aquí, ¿no es así? Conocer mi versión de los hechos que Laura le contó...

Está bien, está bien. Ahora es usted la que se ha enfadado, y no quiero que se lleve un mal recuerdo. Si le interesa mi vida, adelante. No nos queda mucho tiempo...

No, la realización de ese rascacielos no la viví como un triunfo, ni como la culminación de mi carrera. Eso es lo que quería explicarle. En cierto modo esa obra le da la razón a Laura y a Maíta. Tengo la absoluta seguridad de que las dos piensan: «Si es capaz de hacer esto sin haber estudiado una carrera, ¡lo que habría podido hacer si hubiera estudiado!»... Hasta yo mismo lo he pensado. Este final me ha hecho ver los límites en los que me he movido y me ha hecho más consciente de aquello a lo que renuncié al quedarme aquí...

¿Si pudiera elegir de nuevo? Volvería a elegir lo mismo. Y no sólo porque lo considere mi deber sino porque no sé lo que hubiera pasado de haber elegido marcharme. Es posible que hoy fuese uno de los arquitectos conocidos fuera de España, como Sainz de Oiza o como Moneo. Pero es muy posible que no, que ni mi talento ni las circunstancias de mi vida me hubieran permitido llegar a donde ellos han llegado. Lo único seguro es el precio que hubiera tenido que pagar por intentarlo: sufrir el remordimiento de haber dejado morir solo a mi padre y quizá también haber adelantado la muerte de mi madre, y prescindir de la satisfacción de haber vivido tantos años con ella. Y además, probablemente, habría perdido toda mi vida con Isabel.

De un lado de la balanza está mi vida real, la que he vivido, y del otro la posibilidad de un triunfo profesional. Pesa más lo que he vivido. Cuando echo la vista atrás no me considero un fracasado. Pienso, como le decía hace un rato, que he conseguido casi todo lo que deseaba.

Empieza a hacer frío aquí. Es mejor que vayamos volviendo hacia la casa...

Lo otro que no he conseguido ya sabe lo que es. Laura ha sido mi gran deseo insatisfecho. Eso es así y no hay que darle más vueltas. Pero ahí yo no pude hacer nada, o, si pude, no lo supe ver en su momento. Ella fue la que eligió, y a mí no me quedó más remedio que aceptar los hechos.

Durante años no quise pensar en ello. Me impuse a mí mismo la obligación de desechar ese pensamiento. No podía soportar la idea de no haber luchado bastante, de haberla dejado marchar sin haberlo intentado todo, ¡todo!, lo que fuese...

No se preocupe. Ahora puedo hablar de ello. La vejez le da a uno serenidad, te reconcilia con tus propios errores y fracasos. Supongo que es por la cercanía de la muerte. Pero durante años fue como una herida en carne viva, que no acaba de cicatrizar. Y la única medicina era no pensar, eliminar aquel pensamiento de mi vida...

¡La tarde del hórreo!... La tarde más feliz y más triste de mi vida. Eso nos llevará un rato todavía. ¿Quiere pasar y tomar conmigo un vasito de vino? De despedida...

18

No creo que fuese una prueba. Si lo fuese tendría que haberse quedado conmigo.

No entienda mis palabras como un gesto de vanidad. Es que no me puedo creer que con otro le fuese mejor que conmigo aquel día. Además ella me lo dijo: que conmigo mejor que con su marido. Dos veces, en distintas ocasiones, me lo dijo. No creo que lo dijese si no fuera verdad.

Una prueba no era. Ella estaba firmemente decidida a marcharse. El hecho de acostarse conmigo no iba a cambiar sus planes. Tampoco creo que fuese algo espontáneo por completo. Alguna vez habíamos subido juntos al hórreo, pero no era algo habitual. Y aquella tarde ella me lo pidió: «Ven conmigo. Ayúdame a escoger unas manzanas».

Al entrar respiró hondo y exclamó: «¡Qué bien huele!». Dio unas vueltas sobre sí misma con los brazos abiertos, como si bailase o como si quisiera abrazar el aire y se dejó caer sobre unos sacos vacíos. «Se está bien aquí», dijo. Y me hizo un gesto para que me sentase a su lado...

Estoy convencido de que me llevó allí para hacer el amor conmigo. Y sólo le veo una explicación: quería hacerlo. Igual que quería meter el dedo en el nido de los pájaros. Quería saber lo que se sentía, y, si los huevos se malograban, peor para ellos; se trataba de su experiencia, de su necesidad de vivir algo desconocido y apetecible. Sabía que estaba mal, que iba a casarse con otro, que yo iba a sufrir, pero no le importaba.

Acostarse conmigo y desaparecer después sólo sirvió para hacerme más dolorosa la separación, para constatar que, también en ese aspecto, perdía a alguien especial, alguien con quien no tenía que preocuparme de hacer las cosas bien, porque todo salía por sí solo...

Hechos el uno para el otro. Desde luego se puede ver así, y he de decirle que yo mismo lo pensé durante algún tiempo. Es muy cómodo no preocuparte de tu pareja en la cama, que tú puedas ir a la tuya y que eso le guste. Pero dar placer, saber que el placer de la mujer depende de ti, es también una forma de placer. Y con Laura no fue así. Laura se bastaba a sí misma...

Ni yo mismo lo tengo muy claro, pero lo pensé cuando me dijo que conmigo mejor que con su marido y cuando le dijo a usted que se pasaba horas mirándolo a él. Si tanto le gustaba mirarlo, también le gustaría en la cama, y, si allí no iban las cosas bien, tenía que ser porque él no respondía a su apasionamiento o porque..., en fin, no me gusta entrar en detalles en estas cuestiones, pero creo que me entiende. Con Laura no hacían falta florituras, bastaba con seguir su ritmo y aguantar hasta el final para que se sintiese satisfecha. Al menos en mi caso y aquella vez fue así. Tampoco eso quiere decir que tuviese que ser de la misma manera siempre. Con Marisa, ya le he contado, una vez cogí el autocar para ir a verla, cuando ya mi padre estaba muy enfermo, y lo hice porque tenía ganas, desde luego, pero sobre todo, creo, para demostrarle que yo también podía tomar la iniciativa. Y desde esa vez las cosas entre ella y yo cambiaron en la cama. Quizá con Laura pasase lo mismo, pero con Laura todo son quizás, y, si me tengo que limitar a lo que viví aquella tarde, mi experiencia fue que no hice yo el amor con ella; lo hizo ella conmigo. Mientras sucedió no me di cuenta, pero tuve mucho tiempo para pensarlo, y esa sensación de haber sido...

¡Manipulado no, por Dios! Estamos hablando de Laura. Entre ella y yo no podía haber manipulación. Lo que quiero decir es que aquello fue como lo de sacarme a bailar en la fiesta del Carmen, o lo de venir a buscarme a casa para que la acompañase aquí o allá. Ella tomaba las decisiones y yo la seguía sin rechistar. Así que aquello fue un episodio más. Entonces no lo veía tan claro, pero comprenda que con los años, y habiéndose ido como se fue, no resulte muy satisfactorio para mí...

La única explicación que le encuentro es que sentía curiosidad, ganas, como con el nido...

Lo que se dice guapo, no era, pero algún atractivo tendría cuando Marisa, que tenía experiencia, y mi mujer, que tenía tanto donde escoger, y hasta Laura quisieron acostarse conmigo. Pero ¡cualquiera sabe por qué lo hacen! Las mujeres en esto son muy caprichosas, más que los hombres. Lo que nos gusta a nosotros es bastante claro y elemental, pero lo que gusta a una mujer, no. Nunca se sabe...

¿Un regalo? No, no creo que fuese un regalo. No creo que lo hiciese para agradecerme «los servicios prestados»...

Entiendo lo que quiere decir, pero no creo que fuese ésa la razón. No sé si Laura se lo dijo o si se le ha ocurrido a usted. Es posible que Laura necesitase un pretexto ante sí misma. Cuando cogió el nido no buscó pretextos, pero no es igual un pájaro que una persona. Ella sabía que yo iba a sufrir y tenía que justificarse. Por agradecimiento uno no se acuesta, sobre todo cuando sabe que después va a irse y a dejar al otro con la miel en los labios...

¿Qué idea tiene usted de lo que yo sentía? ¿O qué idea tenía Laura para pensar que entregándose a mí una vez podía satisfacerme? Laura no era el capricho de un día que se sacia con una buena follada. Yo quería a Laura para mí, para siempre, para hacer el amor, desde luego, pero también y sobre todo para hablar, para compartir con ella mi vida como había hecho a lo largo de tantos años...

Rencor no le guardo, pero agradecimiento tampoco. Ni siquiera fui el primero. Ella se acostaba ya entonces con su novio. Y no fui yo quien tomó la iniciativa aquella tarde, no le pedí algo que ella se sintiese obligada a darme, por compasión o como recompensa por tantos años de devoción. No. Yo no le pedí nada. Fue ella la que me buscó a mí...

Yo me senté a su lado y entonces ella me acarició el pelo, me quitó una hoja, algo que tenía enredado, y me hizo una caricia. Primero en el pelo, después me pasó los dedos por las cejas y por los labios y acercó su boca a la mía... y desde ese momento ya no recuerdo lo que yo hice o lo que hizo ella. Nos quitamos la ropa el uno al otro, nos revolcamos por el suelo, rodamos sobre la fruta y sobre las tablas rugosas... Varios días después yo seguía teniendo la boca hinchada y el cuerpo lleno de moraduras y rasguños. Supongo que ella también.

Yo tenía poca experiencia. Nunca me ha gustado ir de putas, así que sólo me había acostado con dos o tres chicas de los alrededores y con Marisa, la maestra. Con ella aprendí lo poco que sabía. Pero la verdad es que no lo pude poner en práctica, ni falta que hizo...

Quiero decir que Marisa me enseñó lo que tenía que hacer para darle gusto a una mujer. Ahora han cambiado mucho las cosas y se habla de eso hasta en las revistas del kiosco. Antes no era así y uno aprendía con la práctica y poniendo buena voluntad. A no ser que tuvieras la suerte de encontrar a una mujer que te desasnara, como me pasó a mí. Yo siempre le he estado agradecido, pero en aquella ocasión, con Laura, las cosas fueron de otro modo...

Pues, verá, no sé cómo explicarme. Marisa me decía: «Despacio, siempre sin prisas», ésa era la regla de oro...

Yo también creo que es una buena regla, al menos a mí me ha dado buenos resultados... excepto con Laura. Con Laura fue como si nos empujase un vendaval. Ni siquiera recuerdo si fueron tres o cuatro las veces que lo hicimos, porque se me mezclan los recuerdos y siempre con la misma sensación de ansia. Sólo la última vez fue con algo más de sosiego, al menos pude mirarla y ver su cara y su cuerpo mientras la abrazaba... Pero no conservo una imagen nítida: el sol entraba por las rendijas de las tablas y brillaba sobre su piel blanca, en franjas de luz y sombra. No hablamos, sólo nos besábamos y nos acariciábamos, y una caricia llevaba a otra y a otra, hasta el final, y enseguida vuelta a empezar. No sé cómo decirle. Fue como cuando tienes mucha sed y por fin puedes beber, y no piensas «tengo que beber despacio para que no me haga daño, o para disfrutar del agua»; no piensas nada, bebes y bebes, y paras un momento para respirar y sigues bebiendo. Pues algo así. El caso es que, según lo que Marisa decía, aquello tenía que haber salido mal, a Laura no tenía que haberle gustado. Pero le gustó. Por eso le digo que con las mujeres nunca se sabe...

¿A mí?... Verá, lo de la sed creo que no es un mal ejemplo. Yo he trabajado en el campo, cuando mi padre estaba enfermo y yo me ocupaba de todo. Y hay veces en las que estás muerto de sed y casi no te das cuenta, porque quieres acabar cuanto antes y se te ha acabado el agua y no quieres perder tiempo yendo a sacarla del pozo. Y cuando por fin bebes no se puede decir que sea placer lo que sientes. Yo debía de estar muerto de ganas de Laura, pero no me daba cuenta, no me lo planteaba así. La necesitaba, pero, desde que ella se fue a Madrid a estudiar, fui asimilando que no iba a ser para mí, fui renunciando a ella, sin ser muy consciente de que lo hacía. Aun antes de saber que tenía novio y que se iba a casar. Y en el aspecto físico jamás me permití ningún avance. Por timidez, en parte, supongo, y en parte por orgullo; no podría soportar que ella me rechazase. Así que, entre unas cosas y otras, aquella salida suya en el hórreo me desbordó por completo, me dejé arrastrar por lo que sucedía, pero en el fondo siempre con la sensación de que era un adiós, de que aquello no iba a cambiar lo que ella quería hacer, que era irse...

No puedo separar lo que sentía entonces de lo que sentí momentos después: una mezcla de pena, de desesperación, de impotencia. Ella se iba, se iba para siempre, para vivir con otro hombre y yo no podía hacer nada por evitarlo. Y ese dolor estaba ya latente, en cierto modo, en las caricias del hórreo.

Tampoco se puede decir que fuese una experiencia negativa, o desagradable. Si le he producido esa impresión es porque me he explicado mal. Lo que sucede, comparándolo con lo que viví junto a otras mujeres, es que, en el caso de Laura, junto al placer estaba el dolor, mientras que en los otros casos sólo fueron sensaciones o vivencias placenteras...

Reduciéndolo a las otras dos mujeres con quienes tuve una relación larga, le diré que con Marisa, desde el primer momento, tuve muy claro que era una cuestión de gusto. Después, con el tiempo, nos cogimos cariño, como es natural. Ella me quería, y yo a ella; con los años se convirtió en una persona importante en mi vida, que sentí mucho perder. Pero no estábamos enamorados...

No, no creo que ella lo estuviese tampoco. Nunca se planteó que entre nosotros hubiera otra cosa que lo que había, incluso cuando Isabel murió. Y no era una cuestión de edad, ella era poco mayor que yo...

En fin, si se empeña, puede creer que yo fui su amor imposible, como Laura fue el mío... Pero ¡por qué se empeña en llevarme la contraria!...

Pues muy bien, digamos entonces que yo no estaba enamorado y que ella quizá lo estaba, y que yo fui un egoísta que no me preocupé para nada de sus sentimientos, ¿le gusta más así?... Ya no sé lo que le estaba contando. Con tanta interrupción me hace perder el hilo...

Con Isabel fue perfecto... Con ella tuve la sensación, que no había tenido antes y que no he vuelto a tener, de poseer a una mujer, de hacerla mía... Supongo que esto a usted le sonará a machismo. Como a mi hija Maíta, si me oyese...

En algunas cosas creo que tiene razón: yo comprendo que es muy injusto que a un hombre se le permita y hasta se le alabe lo que se critica en la mujer, me refiero a tener relaciones, experiencia. Pero, mire usted, se lo digo con toda sinceridad, como le hablo a mi hija: si yo me entero de que uno de mis chicos casados anda por ahí con mujeres, me disgusto, y pondría lo que estuviese de mi parte para traerlo al redil. Pero, si fuese una hija, el disgusto sería mucho mayor porque en ellas no lo veo como una aventura, o como una debilidad, sino como algo mucho más serio. Yo, en el fondo, y por más que me hablen de igualdad, sigo pensando que cuando una mujer casada se mete en malos pasos no es por darse un gusto sino porque algo va mal, realmente mal, en su matrimonio. Estoy convencido de que todavía hoy la mayoría de las mujeres no se acuestan por puro gusto sino por razones más, más...

Sí, más serias, y más complejas...

Sexo a cambio de amor. Es posible. Se acuestan para que las quieran. Maíta también me lo dijo, y a ella le parecía mal, una estupidez, dijo, porque los hombres sólo dan sexo por sexo.

Maíta para algunas cosas es muy obcecada; en todo ve discriminación y se equivoca. No es verdad que los hombres den sólo sexo a cambio de sexo. Si uno se acuesta con una mujer y le va bien con ella, acaba cogiéndole cariño, aunque al comienzo no se lo tenga. Creo que es algo bastante habitual. Y, por otra parte, hay cosas de éstas, de hombres y mujeres, que han sido de una determinada manera durante mucho tiempo y que no se pueden cambiar de la noche a la mañana, ni siquiera en una generación...

Me refiero a lo de preferir a una mujer que sólo ha sido tuya, que sólo se ha entregado a ti. No hablo de una solterona a quien nadie ha querido, digo una mujer como Isabel, que podía haber escogido a quien le diese la gana. Le sobraban pretendientes, pero me quiso a mí, a mí solo. Es algo muy especial, créame, y, si un hombre es como debe ser, a esa mujer la respetará y tendrá con ella consideraciones que no tiene con otras para quienes ha sido uno más en una lista de hombres...

Al revés no es lo mismo. Ya conoce el refrán: un hombre aspira a ser el primer amor de una mujer, y una mujer a ser el último amor de un hombre. Durante siglos ha sido así; en el hombre se estima la experiencia, no importa cómo la ha adquirido. No digo que esto sea justo. Mi hija dice que esta forma de pensar es consecuencia de un dominio masculino, que impuso lo que a los hombres les resultaba más beneficioso. Es posible que sea así, yo lo admito, pero esto sigue vigente para mucha gente, hombres y mujeres. Y que a algunas personas como usted o mi hija les parezca mal, no impide que sea así...

Van cambiando, de acuerdo, y hasta empieza a estar mal visto decir estas cosas, pero, créame, yo lo digo y muchos lo piensan, hombres y mujeres, aunque no lo digan...

Bien, pues le estaba diciendo que hay mujeres de un solo hombre, y hay otras de muchos hombres, siempre las ha habido. No es que sean mujeres de vida airada, sino que se acuestan por gusto. Y está muy bien. Los dos, el hombre y la mujer, disfrutan acostándose, lo hacen con discreción, y aquí no ha pasado nada. Era el caso de Marisa. Pero hay mujeres, o por lo menos las había antes, que sólo se entregan a un hombre cuando se enamoran y quieren compartir su vida con él. Con una mujer así uno tiene la sensación de poseer realmente a una mujer, de hacerla suya. No veo yo que sea tan difícil de entender. Un alpinista arriesga la vida por ser el primero en llegar a la cumbre de una montaña, y sin llegar a eso: si una mañana usted sale de su casa y ve la nieve limpita, como yo la he visto muchas veces en el campo, ¿no le apetece pisarla?...

¡No! No creo que una mujer se ensucie por haber tenido relación con varios hombres. Estoy intentando explicarle las cosas y usted me sale con esa pata de banco. O entra en razón o aquí se acaba el cuento...

Mire, métase esto en la cabeza, usted, mi hija y todas las feministas del mundo: si es para echar un polvo, a un hombre le da igual que una mujer se haya acostado con uno o con un ciento. Pero si es para vivir con ella, para estar juntos y formar una familia, cuantos menos, mejor. Y si él es el único, miel sobre hojuelas. Y esto que le digo va a misa...

No me enfado. Pregunte lo que quiera y diga lo que quiera. Le dije que iba a contestarle y voy a hacerlo. Pero no tergiverse mis palabras, ni quiera llevarme a decir cosas que no pienso ni siento...

Lo que quería que entendiese es que la relación con mi mujer fue para mí muy satisfactoria y que me sentía unido a ella de una forma especial y con una responsabilidad especial, porque también ella se había entregado a mí como ninguna otra mujer lo hizo. Y esto que le digo no debe de ser tan raro porque, mire usted por dónde, mi hija Maíta, que siempre ha sido tan moderna, ha venido a topar con alguien como su padre: un hombre que no quiere separarse de su mujer porque ella, como mi Isabel, confió en él, se entregó a él y sólo a él en cuerpo y alma y para siempre...

No me busque las vueltas y dígame las cosas directamente. Desde luego que entre esas consideraciones con mi mujer estaba la de serle fiel. Yo he sido un casado fiel, con la única excepción de Marisa, a la que veía de Pascuas a Ramos y sin que Isabel lo supiese nunca...

Si Isabel hiciese con un hombre lo que yo hacía con Marisa me parecería muy mal, pero estoy seguro de que ella sólo lo haría si no me quisiese, si estuviera harta de mí...

No, por gusto Isabel no lo haría. Isabel, no. Yo la conocía bien, y por gusto no lo haría. Entiéndame también usted a mí, haga el esfuerzo de ponerse en mi lugar. Póngase en el punto de vista de un hombre, de lo que un hombre ha sentido desde que tiene uso de razón, de lo que todo el mundo sentía a su alrededor, menos cuatro feministas como mi hija Maíta...

Si Isabel se llegara a enterar de lo mío con Marisa, rompería con Marisa, sin dudarlo. Sé que eso la entristecería, pero ella sabía que nuestra relación sólo podía mantenerse de esa forma.

Yo no era alguien esencial en su vida; era un amigo con el que se acostaba, nada más...

Dígalo: soy un cabrón. Es lo que está pensando. Seguramente mi hija lo piensa también. Pero quiero decirle una cosa: soy un cabrón que está diciéndole la verdad. Yo sé que no hice bien engañando a Isabel. Sé que no fui justo con mi mujer, que abusé de su confianza, que no correspondí como debía a su amor, a su devoción por mí... Pero hay una cosa cierta: yo a Isabel no la dejaría por nadie. Ni siquiera por Laura. Ni siquiera. Y esa firme decisión de seguir siempre a su lado me hacía sentirme libre para pequeñas escapadas como las de Marisa.

Todos hacemos cosas mal y componendas con nuestra conciencia. Todos. Ya ve mi Maíta, viviendo con ese hombre casado. Ni está bien, ni es congruente con sus ideas. Pero vive, lo acepta y no lo deja ni le exige una ruptura... Y usted también habrá hecho algo que no está bien, y habrá intentado arreglarlo de la mejor manera posible. Algo que tiene que ver con los grandes errores sin remedio, con los errores que uno se niega a reconocer. No se sobresalte. Yo no voy a hacerle preguntas...

Sabe más el diablo por viejo que por diablo. Y nadie se pasa media vida dándole vueltas a una historia si esa historia no le toca muy de cerca. ¿Otro vasito de vino?

Como prefiera. Quizá debería quedarse hasta mañana. Se ha hecho un poco tarde. ¿Ya da por terminado su trabajo?...

En ese caso la acompañaré hasta el coche. Conduzca con cuidado. Hasta llegar a la carretera general hay unas curvas muy malas, ya se habrá dado cuenta.

Mire, aún se ve el magnolio recortado contra el cielo... Precioso... Laura ya sabía que no lo iba a disfrutar. Creo que eso sí que fue un regalo. Un regalo que me dio mucho trabajo. Pero ha valido la pena.

Laura

Sí, supongo que sí, que estoy enamorada de él...

No, no lo digo muy feliz, ni siquiera muy convencida. La felicidad y el amor tienen poco que ver.

Quizá estás en lo cierto. Quizá no estoy enamorada, sino empeñada en creerlo. Quizá lo que tengo es miedo a reconocer que me equivoqué, que todo fue un error inmenso. Pero ¿cómo le vas a decir a una monja enclaustrada que no hay vida eterna?...

19

Se ha ido la escritora. Ayer por la tarde, casi de noche. Yo le dije que se quedase hasta esta mañana, pero se empeñó; dijo que así no encontraría atascos en Madrid. Es muy cabezona.

Me dio un poco la lata con tantas preguntas, a veces me ponía nervioso, porque hace como Maíta, que a todo le saca punta, y, además, hay cosas sobre las que no se puede indagar tanto, qué empeño, a fin de cuentas lo que quiere escribir no es más que una novela.

Ya veremos lo que acaba contando... Un día tuve con ella un pequeño rifirrafe... He tenido varios, porque a ratos se ponía hasta impertinente, pero el de aquel día fue por esta cuestión de lo que va a escribir. Le dije que quería ver la novela antes de que la publicase. Y me dijo que no, que tú tampoco habías visto la anterior y que eso sería como pedirme permiso. A mí me parecía normal que me pidiese permiso, a fin de cuentas está contando mi vida, pero ella dijo que detestaba las biografías autorizadas en las que el protagonista da de sí mismo la imagen que quiere y no la que el autor ve, y que, además, esto no iba a ser una biografía sino una novela. Y volvió a contarme la historia de la tal señora que escribió sobre Adriano, que ahí tengo el libro, me lo mandó Maíta, y he estado hojeándolo y para mí que es una biografía. La escritora dice que no, que no lo es y que nadie en el mundo considera ese libro una biografía, y que el suyo también será una novela, aunque se base en personas y en hechos reales.

En fin, que se puso tan en sus trece que no me dejó más que dos opciones: o la echaba o lo dejaba pasar. Y lo dejé pasar, porque, la verdad, Laura, desde que tú te fuiste no había vuelto a hablar tanto y tan seguido con nadie. Y la voy a echar en falta. Por una parte me incordiaba y hasta me ha revuelto por dentro más de una vez, pero por otra ha sido bueno poner en orden tantas ideas, tantos sentimientos acumulados a lo largo de los años.

Ahora tengo las cosas más claras y eso me ha ayudado a tomar una decisión que venía rondándome, que estaba ahí en el fondo, pero de la que no te había hablado, ni a ti ni a nadie. Y ahora ya lo he hecho. Quizá debía habértelo dicho antes a ti, pero al fin es Maíta la que tendrá que ocuparse de los aspectos prácticos y fue a ella a quien se lo dije primero.

Es algo que tenía ya decidido, pero que uno lo va dejando, como lo del testamento, por pereza y porque da cierto malestar entrar en esos detalles. A nadie le gusta hablar de la muerte. Pero ya está dicho y dispuesto: me voy a enterrar aquí. Contigo, Laura.

Se lo he encargado a Maíta. Que me incineren, que eche las cenizas aquí y que se lleve la urna al cementerio.

Que lo haga discretamente, como hicimos contigo. He pensado que será mejor que lo sepa también mi hijo Francisco. Él esta viviendo ahora conmigo en el Pazo y no es cosa de andarse ocultando de él. Y además así le ayudará a cavar el hoyo. Los otros no tienen por qué enterarse...

No es que me oculte, no se trata de nada vergonzoso, pero es mejor que no se enteren en el pueblo, y cuantos menos lo sepan, mejor. Los nietos acabarían contándolo. Y, ya te lo dije otra vez, no quiero convertir este rincón en un panteón ni en un monumento funerario. Ahora está muy agradable para venir a sentarse, el árbol está precioso y con el muro queda muy resguardado, incluso en invierno. Pero con un muerto aquí sería otra cosa. Lo tuyo es distinto, sólo lo sé yo, y Maíta, que apenas viene. Y a mí no me molesta que estés aquí, al contrario...

Cuando tú lo hiciste dije que era una extravagancia, y es una extravagancia, Laura. Aquí nadie se ha enterrado nunca debajo de un árbol, eso son cosas de película o de novela. La gente se entierra en el civil o en el otro, pero en el cementerio. Aunque ahora a los artistas les ha dado por echar las cenizas al mar, se ha puesto de moda. La familia va en una lancha y con la televisión para que se entere todo el mundo.

También los entierros se anuncian y va gente, es cierto, pero es diferente, van los amigos, y lo de andar tirando las cenizas a mí me parece que son ganas de llamar la atención. A mí siempre me ha gustado hacer las cosas discretamente. Así que he decidido que la urna se la lleven al cementerio, y que las cenizas las dejen aquí, sin alharacas. Va a ser la única extravagancia de mi vida, y no quiero dar pie a comentarios... En fin, no sé por qué te doy tantas explicaciones: creo que estoy en mi perfecto derecho a enterrarme debajo de un árbol que he cuidado durante veinticinco años. Y en una tierra que habrá sido de tus antepasados, pero que ahora es mía...

Perdóname, Laura. No quería decir eso. Venía contento a decirte que he tomado esa decisión, y me he cabreado yo solo. Últimamente me

251

pasa con frecuencia, debe de ser que chocheo. Pero has de entender que me cabree estar dando explicaciones cuando tú a mí no me las diste. Ni siquiera instrucciones...

La idea de llevar al cementerio la urna vacía fue mía, desde luego, y me parece que no fue una mala idea. No te explicaste bien y tu hijo quería meter la urna aquí, como si esto fuese un nicho. Y yo pensé que lo que te gustaría es que las cenizas se mezclaran con la tierra y subieran por el árbol convertidas en savia. Y eso mismo es lo que yo quiero. Y en cuanto a la urna, algo había que hacer con ella, y, además, había que poner tu nombre en la lápida.

Tú querías estar en el cementerio con tu padre y que la gente leyese allí tu nombre junto al de él, al menos eso decías antes, hasta que de repente decidiste venirte aquí. Ya sé que las personas cambian, con los años se piensa de diferente forma, lo veo por mí mismo. Pero tú lo hiciste sin explicaciones, Laura, sin pedirme permiso, como si esta tierra siguiese siendo tuya...

En cierto modo lo era, lo sé. Había sido de los tuyos durante siglos... A veces pienso si lo hiciste para que quedase claro que seguía siendo tuya, aunque yo la hubiese comprado. Hay tantas cosas que no sé por qué hiciste... Otras veces pienso que este árbol fue un regalo tuyo para mí, para mi vejez. ¿Sabías que esta variedad tarda más de veinte años en dar flor?... Quizá por eso quisiste venirte aquí, porque imaginaste que yo lo cuidaría y que vendría a sentarme bajo él a disfrutar de su sombra y de sus flores. Tú ni siquiera llegaste a verlo florecer. Me costó mucho que no se malograse, pero ahora es una belleza, hasta de fuera vienen a verlo. Me hubiera gustado que lo vieses, pero las cosas son como son, y cuando Maíta me habló de traerte aquí para reponerte, yo... En fin, no era de esto de lo que quería hablar ahora.

Lo que quiero que entiendas es que esta discreción mía no significa que me parezca vergonzoso, o que lo haga de tapadillo. Es algo íntimo, Laura. Íntimo, entiéndeme. No quiero que nadie haga conjeturas ni que saquen consecuencias equivocadas. Si mis hijos llegan a enterarse de que tú estás aquí, se preguntarán por qué yo no me entierro en el cementerio, al lado de su madre y de su abuela, ¿comprendes? Ya me basta con que lo piense Maíta, que es la que sabe la historia completa.

Se imaginarían lo que no hubo. Y también lo que pudo haber. Se imaginarán que, si hubiera tenido la oportunidad, habría abandonado a su madre en vida, como la abandono después de muerta. Y eso no quiero que lo piensen porque no es cierto.

Mira, Laura, si tú te hubieras separado de Fernando y hubieras querido venir conmigo, yo no habría dejado a Isabel. Eso quiero que lo sepas, ahora que vengo a decirte que quiero enterrarme a tu lado. Fue mejor así porque los dos hubiéramos sido muy desgraciados. Yo no podía dejar a Isabel, no podía. Creo que tú lo entiendes. Ella me acompañó y me ayudó en los años difíciles. Ella crió a los hijos. Yo no tuve que ocuparme sino de mi trabajo. Sin el dinero de su padre yo no hubiera despegado, no habría pasado de ser un miserable aparejador. No hubiera podido hacer nada de lo que quería hacer en la vida. Y me dio ánimos. Me hizo sentirme capaz de hacer cosas importantes.

Tú le dijiste a la escritora que yo no estaba enamorado de Isabel, que ella era una buena chica y que me gustaba y que le había cogido cariño, pero que no estaba enamorado... Esas cosas no hay que decirlas, Laura, porque ¿qué es estar enamorado? ¿Lo que sentías tú por Fernando, por un hombre con quien no te entendías en la cama y que te engañó doscientas veces y que te hizo sufrir? ¿Es lo que yo sentía por ti? ¿Lo que sigo sintiendo?... No sé si contigo, día a día, hubiera sido más feliz que con Isabel. Tú y yo nunca hemos convivido y no sabemos lo que hubiera pasado. Mi amor por ti está hecho sólo de deseos y de palabras. Hemos hablado mucho y sólo hemos hecho el amor aquella tarde en el hórreo. No sé si esta necesidad de hablar contigo, si este deseo de estar a tu lado es lo que tú llamas estar enamorado. Lo que sé es que tú eres lo único que yo no he conseguido en la vida y que, si hubiera podido escoger, tú serías la mujer con la que hubiera querido pasar mi vida entera.

Pero a Isabel no podía dejarla. Si tú me hubieras buscado mientras ella vivió me habrías hecho el hombre más infeliz del mundo, porque habrías destruido mi felicidad con ella y tampoco podría tenerte a ti. Así que fue mejor que no lo hicieras.

Pero cuando Isabel faltó, sí. Cuando viniste a plantar este árbol hubiera sido el momento de rehacer nuestras vidas. Tú no eras feliz, Laura, reconócelo. Estabas tan harta de tu marido que no te importaba compartirlo con una jovencita. Un cirineo, decías... No sé cómo podías tolerar esa situación. Yo echaba de menos a Isabel, pero me sentía lleno de fuerza y estaba seguro de hacerte feliz, Laura. Feliz como aquella tarde en el hórreo y como lo fuiste conmigo tantos años en la infancia y en la primera juventud. Yo sé lo que podía darte, lo que te faltaba y encontrabas en mí. Lo que no tuviste con tu marido...

Es posible que hubieras continuado dando la tabarra con las grandes obras que yo podía haber hecho, en eso no me hago ilusiones, pero yo tenía entonces suficiente confianza en mí mismo y suficiente experiencia para que eso no impidiese nuestra felicidad. Pudieron ser veinte años felices, Laura. Pero tú no quisiste.

Y después, cuando murió Fernando, para mí era ya demasiado tarde. Y no sólo por orgullo, aunque quizá también haya influido. Pero no fue el orgullo la razón fundamental.

Me sentía viejo... Es cierto que todavía, de vez en cuando, veía a Marisa. La seguí viendo hasta hace dos años, hasta el final. Pero con ella era distinto porque ella me había visto ir envejeciendo poco a poco. Yo no quería que tú vieses mi decadencia, y no sólo física. Me sentía cansado y sin ilusión por el trabajo. Lo del rascacielos surgió después, cuando también tú habías desaparecido definitivamente.

Quizá te cueste creerlo, Laura, pero sentía que tenía poco que ofrecerte. Maíta no lo entendió, pensó que era egoísmo o resentimiento. Estuvo muy dura conmigo, muy seca. Me había dicho que estabas mal de salud, débil, deprimida y que estaba segura de que una temporada en el campo te reanimaría. Ella quería que vinieses aquí. Yo le dije que muy bien, pero que yo me iba a vivir a otro lado.

He de confesar, Laura, que le dije eso porque sabía que si yo no estaba tú no vendrías. Maíta también lo sabía. Me preguntó de sopetón: «¿Te vas con la maestra?». Y después añadió: «Laura nunca vendrá si tú no estás aquí para recibirla». No dijo más ni falta que hacía. Sé que pensó de mí que era un egoísta y un cobarde y, como algo de razón llevaba, lo dejé pasar. Pero me dolió que se pusiera de tu parte, Laura, que pensara sólo en tu posible bienestar y no en lo que yo podía sufrir con tu presencia. A todos sus hermanos les hubiera molestado que vinieses aquí, a la casa donde viví con su madre, a la casa que fue de tu familia. Parecería que quería compensarte por habértela comprado. A mí, puedes estar bien segura, eso me tenía sin cuidado, si no la hubiera comprado yo se la habrías vendido a otro por menos dinero, eso lo he tenido siempre bien claro.

Y tampoco fue por orgullo o por resentimiento, o una venganza porque tú hubieras preferido siempre a Fernando, aunque eso me doliera y me siga doliendo. Pero me hubiera compensado tenerte aquí. Hubiéramos vuelto a hablar de todo, a arreglar el mundo, a cortar un pelo en cuatro. Estoy seguro, porque Maíta me contaba lo que hablaba contigo y seguías siendo la misma, abierta a todo, con la misma curiosidad y el mismo interés que a los quince años, cuando metiste el dedo en el nido para saber lo que se sentía, ¿te acuerdas?...

Hubiera vuelto a ser feliz contigo, a girar en torno a ti, a necesitarte para vivir, para disfrutar de la vida. Y tuve miedo... No quise que vinieras porque no quería verte morir, Laura, ésa fue la razón fundamental. Fui cobarde. Venías a morirte aquí y yo no quería. No quería acostumbrarme a ti y perderte otra vez. Ojos que no ven, corazón que no siente. Pero no es cierto. Te eché de menos desesperadamente y además me sentí culpable.

Maíta me dijo que te habrías muerto de todas formas. Me vio tan abatido que creo que me lo dijo para consolarme, pero yo no puedo dejar de pensar que aquí habrías vivido más tiempo. Yo te habría cuidado, como cuidé del magnolio, y el corazón, aunque no se cure, con una vida tranquila puede tirar muchos años. Fui egoísta y cobarde y te perdí por tercera vez.

Pero ahora se han acabado los desencuentros. Me ha venido bien hablar con la escritora, aunque de esto no le he dicho nada. Quizá sepa algo por Maíta. Quiso venir hasta aquí el último día y me dio la impresión de que se estaba despidiendo, y no sólo de mí. Pero fue discreta y no hizo comentarios. Espero que siga siéndolo. Es por los chicos, ya te lo he explicado, aunque, a decir verdad, Laura, ya no me importa lo que piensen o lo que digan, ni ellos ni nadie. Lo único que me importa es estar aquí contigo. Estar a tu lado mientras exista este árbol.

Si tú no estuvieras aquí yo no me enterraría bajo el magnolio. A mí no se me ocurren esas ideas; tú, como tantas otras veces, me abriste el camino. Ahora me gusta pensar que algo mío pasará a este árbol y a esta tierra que nunca quise abandonar. Pero si tú no estuvieras aquí yo me iría al cementerio. No es la idea de perdurar en la naturaleza lo que me lleva a enterrarme bajo el magnolio.

Es por ti, Laura. Para que se vuelva a unir lo que queda de nosotros. Creo que también tú lo has hecho por eso: porque ésta era tu casa y porque querías estar cerca de mí, cuidada por mí, acompañada por mí.

No sé si creo o no en la otra vida, Laura. Si lo pienso, diría que no, que todo se acaba en este mundo. Pero después voy al cementerio y le pongo flores a tu padre, y a mi madre y a Isabel. Y me vengo aquí a hablar contigo. Y pienso qué pensarán ellos de que quiera enterrarme aquí. Ellos, los muertos, qué pensaran. Y me gusta creer que lo entienden, que hay otro mundo en el que ya no existen celos, ni orgullos, ni vanidades, ni resentimientos, y que todos entenderán que llevo toda la vida queriéndote y que ahora ha llegado el momento de estar contigo al pie de este magnolio del que tanto he renegado y al que tanto he cuidado...

Y otras veces me digo que todo esto es una ilusión, que no hay nada más allá, que lo único que queda es lo que hemos hecho en la vida, y que todo lo demás, nuestros deseos insatisfechos, nuestra amargura, también nuestra felicidad acaba con la muerte... Pero sigo viniendo aquí y, cuando veo las ramas de este árbol que tú plantaste para mí, siento una voz dentro de mí que dice «¡quién sabe!».

Por eso, por si todo acaba y por si todo no acaba, quiero estar aquí contigo, Laura, para siempre ya, contigo...

Índice

Biografía

Marina Mayoral (Mondoñedo, Lugo, 1942) ha publicado en gallego *O reloxio da torre*, *Chamábase Luis*, *Tristes armas* y *Querida amiga*, y en castellano los libros de relatos *Morir en sus brazos*, *Recuerda, cuerpo* y *Querida amiga*, y las novelas *Cándida, otra vez*, *Al otro lado*, *La única libertad*, *Contra muerte y amor*, *Recóndita armonía*, *Un árbol, un adiós*, *Dar la vida y el alma* y *La sombra del ángel*. Como profesora de Literatura Española en la Universidad Complutense de Madrid ha publicado numerosos trabajos de investigación y crítica literaria, entre los que destacan los estudios sobre Rosalía de Castro y Emilia Pardo Bazán, así como los análisis de poesía y prosa contemporáneas. Además, colabora con el suplemento *El semanal* y el periódico *La voz de Galicia*.

Otros títulos de Marina Mayoral
en Punto de Lectura

Recóndita armonía

Blanca y Helena, dos personajes llenos de sensibilidad y humanidad, encaran dos formas diferentes de afrontar la vida y la muerte en los avatares de la Segunda República, la Guerra Civil y la posguerra. Blanca ha crecido bajo la doble influencia de las criadas gallegas y del obispo don Atilano. Helena hereda de su padre, aristócrata liberal, el agnosticismo y el convencimiento de que las mujeres deben realizar un importante papel en el mundo. Ambas compartirán el descubrimiento de la sensualidad, el sexo, la injusticia y el dolor, al mismo tiempo que conocerán, por encima de las adversidades y el desorden, que existe una armonía que da sentido a la vida.

Cándida, otra vez

 La publicación en las páginas de un periódico del diario de una solterona perteneciente a la poderosa familia de los Monterroso de Cela desvela los trapos sucios de un grupo social que durante generaciones ha dominado el país, y es el punto de arranque de un oscuro episodio de ambiciones políticas y venganzas personales.

Cándida, otra vez es una historia de amores, odios, resentimientos y venganzas que pueden llevar al suicidio o al asesinato. Pero por encima de todo es la historia de cuatro amigos que intentan mantener su amistad en uno de los momentos más conflictivos de la historia de España.

Al otro lado

Un personaje femenino, a quien, por su belleza y por sus extrañas experiencias extrasensoriales, llaman «el ángel de la muerte», centra la acción de un relato de corte detectivesco en el que diversos personajes se acercan al misterio del mas allá.

En *Al otro lado*, el humor y la ternura, el amor y la muerte, se entrelazan en una historia fascinante, narrada con la habitual maestría de Marina Mayoral.

Nueva edición de uno de los primeros éxitos de la escritora gallega, autora de numerosas obras entre las que destacan: *Cándida, otra vez, Recóndita armonía, Dar la vida y el alma, Recuerda, cuerpo* y *La sombra del ángel*.